U0479059

少年记趣

Jungle Tales of Tarzan

[美] 埃德加·伯勒斯 / 著
毕可生　孙亚英 / 译

中国青年出版社

（京）新登字 083 号

图书在版编目（CIP）数据

少年记趣/（美）伯勒斯（Burroughs,E.R.）著；毕可生，孙亚英译.
—北京：中国青年出版社，2013.7
（人猿泰山系列）
书名原文：Jungle Tales of Tarzan
ISBN 978-7-5153-1816-5

Ⅰ.①少… Ⅱ.①伯…②毕…③孙… Ⅲ.①儿童文学—长篇小说—美国—现代 Ⅳ.①I712.84
中国版本图书馆 CIP 数据核字（2013）第 172493 号

责任编辑：杜惠玲　谢肇文
封面设计：瞿中华

出版发行：中国青年出版社
社　　址：北京东四十二条 21 号
邮　　编：100708
网　　址：www. cyp. com. cn
编辑电话：010-57350504
门市电话：010-57350370
印　　刷：三河市君旺印务有限公司
经　　销：新华书店

开　　本：620 × 920　1/16
印　　张：14.5
插　　页：2
字　　数：150 千字
版　　次：2015 年 5 月北京第 1 版
印　　次：2015 年 5 月河北第 1 次印刷
定　　价：20.00 元

猿语(泰山的母语)——中文对照表

动　物

巴拉——鹿

勃勒冈尼——大猩猩

布吐——犀牛

旦格——鬣狗

杜罗——河马

戈格——水牛

豪尔塔——野猪

吉姆拉——鳄鱼

库图——老鹰

努玛——雄狮

派可——斑马

盘巴——老鼠

沙保——母狮

吞特——大象

希斯塔——蛇

希塔——花斑豹

(　　　　　　)——(　　　　　　)

(　　　　　　)——(　　　　　　)

自　然

戈罗——月亮

库都——太阳

(　　　　　　)——(　　　　　　)

(　　　　　　)——(　　　　　　)

人

戈曼更——黑人

塔曼戈——白人

(　　　　　　)——(　　　　　　)

(　　　　　　)——(　　　　　　)

你还能找出多少来呢?

目 录

一
初 恋

年轻的母猿娣卡安逸地伸展着身体，侧卧在热带树林的树荫里，充分展示出一幅迷人的少女憩息的画面，至少当时小人猿泰山是这样想的。这时他正蹲伏在附近一棵大树摇摆的低枝上，俯视着她。

赤道太阳强烈的光芒，透过丛林大树浓密的绿色树冠，在他棕黄的皮肤上留下了不少的斑点。他四肢匀称的身体以一种优美的姿态懒散地舒展在摇晃的树枝上。他秀丽的头部侧向一边，正陷入沉思。他充满智慧的灰色眼睛，正凝视着他的目标，颇有些情不自禁的样子。如果这会儿我们有谁恰好看到了他这副样子，准会以为这是什么丛林之神的肉身显现，绝不会猜到他竟是被一个浑身披满毛发的、凶猛的母猿卡拉喂养大的少年。在此以前，他真正的父母双双死于一座丛林边的小屋中。这小屋就坐落在陆地环绕的小港湾前。所以，他除了认识大公猿喀却克领导的一群既阴郁又经常咆哮的大猿以外，再也不知道还有别的种群了。

而且，如果人们获悉了泰山灵活而健康的脑袋里由娣卡的形象所引发的热望和欲念，人们就不会相信这个人猿的真正出身。因为仅从他的思想是不可能弄明白泰山的真实情况的，他竟然是一位高贵的英国女士的亲生子，而他的父系同样有着古老而备受尊重的门第。

在这里，泰山最大的损失是丢失了自己的家世。其实他就是约翰·克莱顿，在英国上议院保有一个席位的格雷斯托克爵士。他自己并不知道这些，即使知道了对此也无法理解。

在这时的泰山看来，毫无疑问娣卡是美丽的!

因为卡拉也曾经是美丽的。但是，娣卡却具有另外一种美，一种泰山刚刚开始模糊和朦胧地感到却无法描述的、它自有的独特形式的美。

多年以来，泰山和娣卡就是一对很好的游戏伙伴，如今娣卡仍然很爱嬉闹，尽管这时和它同龄的公猿都很快地变得粗暴和脾气急躁。如果这时的泰山能理智地想想这个问题，他也许就能认识到，他对娣卡这个年轻母猿的依恋，是因为往日的那些游戏伴侣都由于很快地成熟而不再对从前的嬉闹感兴趣了。

但是，当泰山今天坐在那儿注视娣卡的时候，才终于注意到娣卡的面貌和体态，这是他从前没有感觉到的事。因为当时在他们之间，在泰山灵敏的头脑想出来的互相追逐或是捉迷藏的游戏中，除了和灵活奔跑的娣卡在低处的树枝间追来追去之外，再也没有什么可引起他注意的了。

泰山搔着头，手指深深地插进乱蓬蓬的黑头发中，黑发使他的头更显得匀称，配得上他天真的脸庞。可是，他一面搔着头却一面叹了口气。他对新发现的娣卡的美丽的喜悦，很快就被对自己的失望所代替。他忌妒它漂亮的遍布全身的长毛外衣，而对他自己光滑的棕色皮肤，却有一种源于憎恨而产生的厌恶和轻蔑。多少年以前他就怀有一种愿望，盼着有一天他也能像他的猿兄猿妹们一样，长出满身的毛发来，他甚至认为自己现在的这个样子只是由于其他大猿比他长得快的缘故。但是后来当他的身体也长得高大起来时，他终于被迫放弃了这个能让他欣慰起来的梦想。

后来，娣卡就有了那种大牙，当然没有公猿那么大，但是与泰山的那一颗颗小白牙相比，还是显得蛮有力的。还有它那突出的眉骨，宽而平的鼻子，它的嘴!泰山总是不断地试着将自己 的嘴噘成一个小圈，鼓起了腮帮子向前吹，同时不断地眨着他的眼睛，但糟糕的是他怎么也做不出娣卡那种自然而伶俐的样子。

这天过午，他正注视着娣卡并且感到莫名的羡慕。喀却克族的大猿大都在这热带丛林闷热的天气里，懒散地从娣卡所在的树下零星走过，它们都引不起泰山的注意。不过，有一只公猿，起先在地上的腐草丛翻找食物，后来就慢慢一步步试探地向娣卡这面走来，现在竟跳到娣卡蹲着的树上。不知为什么，泰山一看到这个年轻的公猿同格停在娣卡面前，近而又蹲在它旁边，他的眉头就皱了起来，身上的肌肉也不由得紧张起来。

泰山一直是喜欢同格的。小时候，他们就滚跳打闹在一起。他们曾经一块儿蹲在水边，用敏捷而有力的手指，等待机会一下子捞到一条游近的皮萨（猿语，鱼）。这些鱼大多是为了游近水面捕食泰山扔在那里的小虫而上当的。他们也一块儿戏弄过大公猿托勃赖，嘲弄过努玛（猿语，雄狮），可是现在只是因为同格坐到娣卡的旁边，泰山就觉得自己颈后的毛发倒竖起来，这是为什么?

当然，同格已经长大，再也不是从前那个只知道嬉闹的公猿了。当它耸起上唇、露出了大獠牙的时候，没有谁会认为它还是曾和泰山滚打在草地上、模拟着战斗的那个有趣的小家伙了。今天的同格已经是个阴沉沉的大块头公猿，显得既阴森，又让人觉得可怕。只是它还从来没有和泰山争吵过。

有那么几分钟，小人猿一直盯着同格，看着它越来越向娣卡靠近。当同格毛茸茸的大爪子搂住娣卡光滑的肩膀，小人猿泰山立即像猫一样跳下树来，向它们两个走去。

他的上唇绷紧，露出了牙齿，从胸膛里发出一声咕噜噜的吼叫。同格吃惊地抬起头来，眨着它那眼圈发红的眼睛；娣卡也欠起身来莫名其妙地看着泰山。它猜得出泰山发脾气的原因吗？谁知道呢？但无论怎么说还是个女性，所以，它不由得伸出手来，搔搔同格的小耳朵根子。

泰山看见了，但也就在这会儿才看出来，娣卡不再是刚才他眼里那个好玩的小伙伴了。它已经成了一个神秘的事物——世界上最神秘的东西——为了占有它，泰山可以和同格打个你死我活，就是别的什么公猿也是一样！

泰山佝偻着身躯，绷起肌肉，侧身朝着同格一步步走去。他的脸故意侧向一边，但是他敏锐的灰色眼睛却一刻也没有躲开同格的眼睛。当他向前走时，咕噜声也越发粗重和响亮。

同格也站了起来，叉开小短腿，摆出一副准备打架的样子。它也慢慢向前凑，嘴里也在咆哮着。

“娣卡是泰山的。”小人猿以一种大猿常用的低喉音说道。

“娣卡是同格的。”公猿也以同样的声音回答道。

大猿——塞卡、努玛格、冈吐都被他俩的咆哮声惊动了，但却既无动于衷，又带点幸灾乐祸地懒洋洋地看着他们。尽管这些大猿有些昏昏欲睡，却都意识到这里将有一场打斗。这倒是会打破它们丛林里单调无聊的生活。

泰山的肩上盘着长草绳，手里拿着长猎刀，他当然不知道这是自己已故父亲的。在同格的小脑袋里，对只有人猿才会玩弄的这把锋利闪光的金属家伙，倒是蛮敬畏的。就是用它，泰山杀死了凶恶的托勃赖以及勃勒冈尼(猿语，大猩猩)。同格知道这些事，所以它小心地绕着泰山走来，想寻找空隙。而后者也因为自己不够强壮和天生没有獠牙利齿，所以采取着同样的战术。

看来，这场争斗很可能就像部族里大多数争执一样，其中一方将因丧失兴趣而走了开去，转向其它让他更投入的事，如果这事在它看来比宣战的理由更加重要的话。可是，那个轻浮的娣卡却在使劲煽起他们的火气，因为它觉得这两个公猿因为它争风吃醋。像这样值得炫耀的事，在它短短的生命中，还从来没有过。所以在它的小心眼里很盼着有那么一天，丛林的草地上也会留下为它争斗所流下的血迹。

因此，这会儿它蹲在那里，不停煽风点火，给它的崇拜者两面使劲。它一会儿说这个胆怯，一会儿又骂那个窝囊，叫他们“希斯塔(猿语，蛇)”或者是“旦格(猿语，鬣狗)”。它还招呼一个只能在地面上走来走去捡香蕉或虫子吃的老母猿姆格，拿棍子督促他们。

那些看热闹的大猿听到这些都笑起来。同格终于被激怒了，它向着泰山直冲过去，但是小泰山敏捷地跳了开来，躲过它的冲击，像猫一样灵活地转身跳到它的背后，又向它靠上来。而且在它过来的同时，泰山高举着猎刀，狠狠地朝着同格的脖子砍了下去。同格急忙转身去躲他的刀，脖子虽然躲开了，但肩膀上还是给锋利的刀刃扫了一下。

喷溅出来的鲜血，让娣卡高兴地尖叫起来。它左右瞟了一眼，看都有谁看见了同格这一为它而做出的牺牲。就是希腊的海伦（古希腊神话中的人间第一美女）也不比这时的娣卡更多一丝骄傲了。要不是它对自己的这种洋洋自得太投入了，这会儿它就应警觉到，在它上方的某处树叶沙沙响动的声音，这沙沙声绝不是风引起的。而且要是它能抬头看一下，就能看到一个光滑的身躯，几乎就趴伏在它的正上方，闪动着饥饿的黄眼睛紧盯着下面的它，但是娣卡就是不肯向上看一眼。

带着身上的伤，同格一面后退，一面可怕地咆哮着。泰山则紧跟不放，一面叫骂，一面挥舞着战刀威胁着同格。娣卡则在树下向这两个决斗者走近。

这时，娣卡头上的树枝也在轻微地摇动，那个紧盯着它的东西正随着它走动的方向向前移动。同格现在已经站住了，正准备着一次新的较量。它的嘴唇沾满了泡沫，口水也正不断地顺着下巴向下流。它站在那里，头缩着，两手向前伸出，预备好一次近距离的突击。只要它有力的手臂一搭上那光滑柔软的棕色皮肤，它就算赢了。在同格看来，泰山的打斗姿态太不光明正大，泰山是不敢靠近自己的，他只会灵巧地躲到同格有力的手指够不到的地方。

除了在嬉戏中，小人猿至今还没有真正和一个公猿比试过气力。所以他无法确定在一场生死决斗中，他的力气是否能让他平安，但这并不是让他害怕的事。他还没有害怕过，只是自我保护的本能让他更谨慎一些罢了。如果他要冒险，那也是因为他觉得有这种必要，此外他向来对任何事都很果断。

泰山的打斗方法似乎只适于他的体格和他天生的战斗本能。他牙齿虽尖而有力，却只能用于防守，与大猿的獠牙相比既可怜又弱小。所以，只有敏捷地蹿跳才能免于被敌手抓住，而这时泰山才能运用他无往不利的猎刀，逃脱危险而可怕的伤害，以免沦入公猿之手。

所以，同格正是像一个公猿那样对泰山发起攻击，泰山也只能不断轻巧地蹿跳躲闪，一面向它的敌手发出丛林里常用的粗话，一面用他的猎刀时不时地给对方一下。

在战斗中，他们都不时地停下来喘口气，面对面地集聚着他们的智慧和力量以备继续厮杀。也就是在这样的空隙，同格的眼睛，向它对手的头前，偶然扫了一下，瞬间这个大猿的整个表情从愤怒变成了恐惧。它大叫一声转身就逃跑了。不用问，它的这种喊叫是大猿都熟知的，这是警告老对头希塔来了。此刻泰山也和别的大猿一样赶快要寻找一个隐蔽处。就在他忙于这样做时，他听到猎豹的吼叫声中还夹杂着一头母猿恐惧的呼叫。同格当然也听到了这声音，但还是头也不回地逃跑了。

不过对于小人猿来说，这却是一件大不相同的事。他停下来转回头看究竟是部族里的谁遇到了危险，当然他看到的族人几乎都露出了恐惧的面容。他一下子就明白了，刚才的喊叫声原来是娣卡发出的。这一刻它正飞奔着穿过一小片空地，向对面的树上跑去，在它后面一头猎豹正在蹿跳着追它。不过，这头猎豹的蹿跳显得从容而自在，显然它认为在娣卡跳到最近的树上以前，它就能扑到它。

泰山看得出娣卡的性命已经危在旦夕了。他大声喊着同格和别的大猿，快来帮助娣卡，同时他向那头追逐娣卡的野兽奔去，从肩上取下了绳索。泰山清楚，一旦大猿都被激怒，丛林里再没有什么动物敢与它们的獠牙较量，就是努玛也是一样。在这样的情形下，这只巨大的猫科动物也会掉头夹着尾巴走掉。

同格听到了泰山的呼唤，别的大猿当然也听到了，可是没有一个前来帮助，也许它们觉得已经来不及了。这时，猎豹正一步步赶上来，离它的猎物越来越近。

小泰山一面大步跳跃着追着猎豹，一面高声喊叫着，想尽量把这头畜生引向自己，或者扰乱它的注意力，以便娣卡能跳到猎豹不敢上去的高树枝上。他嘴里不断地用大猿的辱骂言语骂着猎豹，拼命激怒它，让他和自己打斗。但猎豹却丝毫不理会他，一味地大步向前蹿去，不肯放弃就要到嘴的美味珍馐。

泰山距离猎豹虽然并不太远，而且他正在加快步伐，但是猎豹和娣卡的距离太近了，以至于泰山根本没希望能在它扑倒娣卡之前赶上这只吃肉的大猫。所以，这时泰山只好一面跑着，一面用右手在头上甩动着他的绳圈。他讨厌失手，因为现在他离猎豹还太远，除了练习时他还没有在这么远的距离上投准过。而且，他的绳索怕也还不够长，但是现在再也没有其他办法，他只好凭运气了。

正当娣卡跳起来要去抓一棵大树的矮枝时，猎豹在她后面一个大跳跃向她猛扑上去，也就在这时泰山的绳圈恰好甩了出去。绳索从空中飞过来，立刻绷紧成一条细线，最前头张开的圆圈不偏不倚地罩在猎豹的头上，然后它向下一落，套住了这头野兽的脖子。这时泰山抓着绳头的手臂猛地向后一抖，接着抓紧了绳头，准备着对付猎豹挣扎的蹿跳。

就在猎豹的利爪差一点点就要抓住娣卡光滑臀部的时候，绳套把它向后拉了一个仰面朝天。它立刻反身爬起来，睁大眼睛，尾巴嗖嗖地扫来扫去，张大的嘴巴里发出使人悚然的愤怒而失望的叫声。

猎豹看到了小泰山，是他让它失败的，他就在它前面还不到四十英尺，于是它向小人猿发起了攻击。

泰山用眼角扫了一眼树丛，看到娣卡刚刚已经在猎豹扑来之前爬到了安全的地方。现在他已经没有必要拿自己的生命去冒险了，而且在和猎豹的搏斗中，他不会占到什么便宜即使迫不得已必须和猎豹一决雌雄，他能否逃命也还不得而知。泰山不得不承认他此刻的处境实在很不理想。附近的树对于他要逃开猎豹的袭击来说都有点太远。泰山只能面对这场于他很不利的厮杀。他右手握紧猎刀，但与猎豹那排锐利有力的牙齿和前脚的钩爪相比，它算得了什么?一把无用的东西罢了。然而我们年轻的格雷斯托克爵士，毕竟不是等闲之辈，面对危难他也像他的祖先一样，敢于舍死忘生地牺牲在黑斯廷斯的森拉克山[①]前。

---

① 黑斯廷斯的森拉克山：该地在英格兰最东南端。五世纪中叶起，盎格鲁-撒克逊人由欧洲大陆渡北海入侵不列颠。当时的土著克尔特人被排挤到英格兰北部。自此盎格鲁-撒克逊人遂成为英国之主要民族。黑斯廷斯森拉克山(Senlac Hill of Hastings)前的一次战役为盎格鲁-撒克逊人登陆后的一次主要战役，为创建大不列颠英帝国立下不朽功勋。泰山的祖先也因此而受封为勋爵，成为英国世家。

绳圈向下一落，正好套在这头野兽的脖子上。

这时大猿都在树上的安全地点看着他们，一面呼叫辱骂着希塔,一面给泰山一些忠告。娣卡已经被吓坏了。它大喊大叫,催促公猿快点去帮助泰山,但是大公猿却另有打算,只是坐在那里指手划脚或者向希塔做鬼脸。泰山毕竟不是一个像样的同类,它们何必为了他去冒生命的危险?

这时希塔几乎就要扑到泰山光滑裸露的身体上。猎豹无疑是敏捷的,但泰山却更敏捷。就在希塔扑过来时,他闪身跳了开去,让希塔扑了个空。接着,他就向最近的一棵可以避难的树跑去。

希塔马上就明白过来,转身朝它的猎物飞奔而去,只是我们小人猿的那根绳索仍然套在它的脖子上，拖在地上跟着它拉向前去。离泰山只有两三步远时,希塔绕过了一个小灌木丛。对于像希塔这样体力和块头的丛林动物来说，要不是拖着一条绳索本来是不算什么的。可是这根东西竟给希塔带来了意想不到的麻烦,就在它又一次向人猿泰山扑去时,这根绳索却绕到了一棵小灌木上,把希塔猛地拽住停了下来。就在这一会儿工夫,泰山已经安全地蹿到一株小树的高枝上希塔够不着的地方了。

泰山骑在树杈上，向希塔投掷树枝，嘲讽地辱骂着这只大猫。其他的大猿也从它们够得着的地方用坚果、枯树枝向它连珠炮似的不断投去。惹得希塔发狂地乱吼乱叫,拼命去抓咬那根倒霉的草绳。最后,它终于把草绳咬断了。它站在那里好一会儿,盯盯草绳又盯盯那些捉弄它的对手,却毫无办法,最后终于愤怒地大吼了几声,转身消失在丛林的深草丛中。

半个多小时以后，整个猿的部族又都回到了地面去寻找食物,恢复了它们懒洋洋的生活情调,好像什么事也没有发生过似的。泰山找到它被猎豹弄断了的绳索，重新整理起绳头的套圈来。这时，娣卡就蹲在他的旁边，明显地对他表示出亲热。

同格瞧着他们，表现出一点气哼哼的样子。可是一旦它向他们走来时，娣卡就先露出獠牙，向发出咆哮声，泰山也亮出小犬牙向它怪叫几声。不过同格似乎已经接受了泰山在与它的战斗中赢得了娣卡的青睐这一既成事实，不想再去挑起另一场争端。

过了些天，绳子结好了，泰山又拿着它到林子里搜寻猎物。泰山远比他的同伴更喜欢肉食，所以当别的大猿满足于那些很容易在林子里找到的果子、草籽和甲虫时，泰山却要花很大力气去狩猎丛林里的动物。因为只有这些美味的鲜肉才能满足他的口腹之欲。更重要的是，只有这种食物才能使他肌肉发达，并且使他那光滑柔软的棕色皮肤下的体格日渐强壮。

同格看到泰山走开以后，装作漫不经心地寻找食物的样子，一点一点地向娣卡蹭过来。最后，当他终于敢瞟一眼娣卡的时候，却发现娣卡正以赞赏的目光看着他，早已没有一点儿生气的样子了。

于是同格挺起胸来，迈着它的两条短腿在娣卡周围打起转转来，喉咙里还轻声地咕噜着。它皱起嘴唇亮出了獠牙，老天!看有多漂亮雄壮。娣卡再也不想干别的，专注地欣赏着它们。它用羡慕的眼光看着同格那双突出的眼眉和粗壮有力的脖子。它是一个多么强壮而潇洒的“小伙子”!

同格到底被娣卡钦慕的眼光鼓舞得趾高气昂起来，在它周围走来走去，像一只自负的孔雀。现在它开始炫耀它的那点家珍，至少从精神上说，它很快就觉得自己丝毫也不比对手差了。

它喉咙里咕噜着，这会儿毕竟没有谁来和它相比。谁能比得上它那浑身披着毛发的身段？那个全身没毛只有光溜溜皮肤的家伙吗？谁在看到同格的大气的鼻子以后还会觉得泰山的那个小而尖的怪鼻子好看呢?还有泰山的眼睛!多么难看，它哪里有大猿那种红眼圈好看?同格当然知道自己的眼圈是美丽的，因为它喝水时在池塘里多次照见过。

这头公猿终于走到娣卡跟前，蹲到它的旁边。等到泰山从树林里打猎回来时，正好看到娣卡心满意足地搔着他对手同格的脊背。

泰山把这一切都看在眼里，觉得有一种说不出的厌恶感。当他荡到林间的草地上时，同格和娣卡都没有顾得上看他。他在那里停了一小会儿，观察着它们。泰山弄不懂这原是同种类之间的一种自然的接近，于是他带着一脸伤感而痛苦的表情，转身消失在树叶覆盖的浓荫和藤蔓吊垂的迷宫中。

此时的泰山希望离这个使他伤心的地方越远越好。他头一次经受了失恋的伤痛，糟糕的是他一点儿都弄不懂这是怎么回事。他似乎本应该冲向同格，和这个毁坏他幸福的家伙恶斗一场，可是他却终于避开了。

他觉得他是在生娣卡的气。可是它美丽的容颜却又时时出现在他的脑海里，他对它也恨不起来。

小人猿渴望着情爱和温暖。从他小的时候起，直到卡拉被黑人库龙格用毒箭无端射死为止，卡拉一直是这个英国孩子唯一爱恋的母性。卡拉它她粗犷而热烈的感情爱着这个养子。泰山也以他特有的方式回报着这种母爱，绝不比丛林里其他动物更少更淡漠。直到他忽然失去她的那天，小泰山才深深地体会到他是多么依恋着这个养育了他的母猿，他原是把它当作自己亲生母亲的。

泰山在过去的一段时间里，从娣卡那里似乎也感到了对卡拉的那种感情，但这其实是不一样的，这是一种可以为之战斗、努力去获取的感情，可现在它却忽然破灭了。和卡拉绝不相同的是娣卡并没有死，只是它的感情转移到同格身上去了。他用手抚摸着自己的胸膛，奇怪这里究竟发生了什么事，它为什么这样地使他感到失魂落魄、沮丧和痛苦？他越是想到娣卡和同格，越是感到胸中的刺痛和胀闷。

泰山摇着头，发出咆哮声，不断向丛林深处荡去。他向前走得越远，越是想起他的不幸和对娣卡的无情的怨恨，甚至怪起所有的女性来。两天以后他仍是一个人孤单地狩猎，既忧郁又不高兴。但是他仍然不想回到部落里去，他无法忍受同格和娣卡在一起时亲密的样子。当他荡到一根大树枝上时，正好看到努玛和沙保（猿语，母狮）双双从树下走过。母狮正依偎着公狮，半是嬉闹地用头蹭着它的下颌，显得那样亲密。泰山看了不由得叹了口气，捡起一枚坚果向它们扔了过去。

后来他又遇到了几个孟格村的黑武士。当他差一点对那落在队伍后面的一两个武士扔出他的绳套时，却忽地发现了什么新鲜事，便把要这样做的想法放到一边去了。他发现他们正在小路当中建造一座笼子，并用带树叶的树枝把它遮盖起来。当他们快建成时，那只盖在树枝下的笼子几乎看不见了。泰山很奇怪他们究竟想要干什么，还有他们是什么时候开始搞起来的。泰山正看着想着的时候，他们已经弄好了，于是这些黑人都向村子的方向沿着小路走了回去。

泰山到黑人的村子里去已经有些时候了，他从村边横在栅栏上方的大树枝上观察着这些黑人的活动。他把这些黑人看成他的敌人，因为他认为杀害他养母卡拉的人就在他们中间。尽管泰山恨他们，但是他也从观察他们的活动和日常生活中得到了许多乐趣。特别是当他们跳舞的时候，当篝火映照着他们裸露的身体，他看着他们在火光中转体、回旋、冲突地模仿着战斗的姿态，感到意趣盎然。正是想看到这样一些场景，泰山才决定跟着他们向村里走去。但让他大失所望的是，今晚那里什么也没有，既没有火光，也没有舞蹈。相反，从他安全隐蔽的大树上，他看到一小群人坐在一堆小火旁，正在谈论着什么事情。而在村子较黑暗的角落里，他隐约看得出那里有单独的一对对的人在谈笑。而这每一对几乎都总是一个年轻的男子和一个年轻的女子。

泰山昂起他的头，转到一旁思索起来。在他到村外大树的杈丫上睡觉之前，他脑子里装的几乎都是娣卡。随后它又跟着他进入了梦乡，在梦里，娣卡和泰山那些黑人男女一样谈笑着。

同格这会儿正独自在丛林里狩猎，他已经离他的部落相当远了。他循着象径慢慢地走着，直到被一些似乎是灌木丛的植物挡住了去路。如今同格已经长成大猿了，脾气变得暴烈而急躁起来，一旦发现有什么事物妨碍了它，它的简单想法就是用粗鲁强暴的力气去征服它。而现在它正好遇上一堆东西挡住了去路，所以它立刻愤怒地去乱撕那树叶做的屏障，结果没有多一会儿，就发现自己已经走进了一个奇怪的洞穴。无论怎么拼命使劲，它也前进不了啦!

同格对那些立柱又踢又打,大发雷霆,但最终还是一点儿用也没有,它只好转身回去。可是,当它真这样做时,让它十分懊恼的事发生了,在它捶打前面挡路立柱的时候,它身后竟也有立柱落了下来。同格无疑是被关进了陷阱!直到它发疯般挣扎到筋疲力尽,一切努力却都是白费,它还是没能自由地冲出去。

第二天一大早,有一小队黑人从孟格村出来,径直朝前一天设下的陷阱走去。他们谁也不知道,就在头上的树枝丛中一个裸露的大个子年轻人正满怀好奇地紧跟着他们。当泰山路过的时候,一只曼纽嘁嘁喳喳叫个不停,他并不怕这个熟悉的小猴子。它大胆地凑上前来,去接近这个和他差不多的褐色身体。泰山看到它有趣的样子不觉笑了起来。但是,没多久就又恢复了他那沉郁的神态,不由得深深地叹了一口气。他再向前走去,见一只羽毛华丽的小鸟正对着它带着爱慕眼光的配偶, 高视阔步地展示着自己的健美。这时丛林里的一切似乎都不谋而合地嘲弄着泰山失去了娣卡。从前虽然他天天都看见这些事物,却从没有今天这样的感受。

当这些黑人走到他们的陷阱前时, 同格爆发出一阵强烈的骚动。它抓住面前的木柱发狂地摇撼,而且一直不断地发出可怕的咆哮和吼叫。但是黑人却表现出兴高采烈的神情,因为他们的笼子原不是为这些浑身长毛的大猿所准备的, 所以对现在的意外收获他们特别高兴。

当泰山听到一个大猿的吼声时,立刻竖起了耳朵,并很快绕到下风头去, 直到他能嗅到囚禁在陷阱里动物的气味。没有多久，他灵敏的鼻孔里就充满了一种熟悉的气味。它告诉泰山那里关着的就是同格，他对于同格的气味就像他亲眼看到一样肯定。

当泰山走近陷阱想看一看这些黑人会对他们的猎物干些什么的时候，他不由得轻蔑地笑了一下，不用说，他们是会把同格杀死的。那么他就可以毫无疑问地占有娣卡了，没有谁再去争夺他的权利了，想到这里他心里又高兴起来。当他这样想着、观察着的时候，他看到黑武士忙着把遮挡笼子的树枝都剥掉，用绳子拴住笼子，并拉着它沿着象径一直向他们村子的方向走去。

泰山看着他的敌手同格在笼子里又打又闹地被拉着，直到他们走得看不见了，才冷笑了两声，转身在树上快速地荡向部落寻找娣卡去了。

在路上，他惊奇地看见一对猎豹在一小片空旷的草地上亲热地嬉戏。那只雄性大猫仰身躺在那里，雌性则用爪子摸着它的脸，一面还用舌头舔着它颈下的白毛，它们亲密的样子让泰山心里不觉产生出一种暖丝丝的感觉。

泰山加快了他的速度，没有多久他就穿过了浓密的丛林，并很快找到了他的部落。是他先看见了它们，因为在丛林里它们远没有像泰山那样来去轻巧无声。他看见了大母猿卡玛正同它的伴侣在一块儿吃东西。它们一个挨着一个，两个毛茸茸身体紧靠在一起，而娣卡却孤独地吃着东西。泰山看到这情景，心里想着，没有多久它就不会再这样孤孤单单了。然后他一跳就到了猿群中间。

这在猿群中突然引起了一阵骚乱，它们有的生气得怒吼起来，有的吓得叫起来，因为泰山猛地到来使它们受了惊吓。当它们看清了来者是泰山之后，骚动开始平息下来，只剩下它们中有些大猿颈后的硬毛还竖在那里，好一会儿才倒下去。泰山早就注意到猿群的这种反应了。他经常这样突然地回来，总是要引起这样的反常状态，总要过那么一小会儿才能恢复平静，甚至有些大猿还要嗅嗅泰山的气味，才能放心地安定下来。不过，这次泰山却没顾及别的大猿，径直推开挡住他路的大猿，一直走向娣卡。但是当他走近娣卡时，她却稍稍躲避了一下。

“娣卡，”泰山说道，“我是泰山呀!你属于泰山，我是来找你的。”

娣卡向他走近一点，仔细地看着他。接着又不断地嗅着他的气味，好像要弄清究竟是不是他似的。

“同格在哪儿?”它问道。

“被那些黑猿抓去了。”泰山回答说，“他们会杀死它的。”

当泰山告诉娣卡同格的命运时，他从它的眼睛里看到了一种愁苦的表情和悲伤的烦恼，但是它却蹭到泰山的跟前来，依偎在他的身边。而泰山——格雷斯托克爵士也把手放到它身上。不过当他这样做的时候，却猛地注意到，他光滑的褐色手臂和他这位情人披着毛茸茸外衣的身体，有多么不协调。他想起刚才看到的那一对猎豹，母豹把爪子搭在它伴侣的脸上，舔着它下颔的白毛的样子是那样地自然。小曼纽之间的搂抱也是十分和谐。即使那只高傲的雄鸟在它的雌性伴侣面前展示它华丽的羽毛，也表明它们是天生的同类。就算努玛那一头蓬松的毛发和沙保远为不同，但它们仍是天生的一对。这些禽兽雌雄虽然不同，但它们确确实实是成对成双的，泰山和娣卡这一对却是和它们截然不同。

泰山不免迷惑起来，一定有什么不对劲的地方。他的手不由得从娣卡的肩上落了下来。他非常缓慢地、一点点地离开了它的身边。它也看着他，慢慢地把头转向一边。泰山直直地站了起来，高高地昂起了他的头，挺起胸膛，向着天空张大了嘴，一面用手捶打着自己，一面从丹田发出一声尖利刺耳的长啸，就像公猿胜利的挑战声一样。整个部落都向他惊奇地看去。他既没有杀死谁，也没有什么对手被他的吼叫所激怒。不，这里什么事也没有。所以，大家都继续觅食活动，只是有的大猿还时不时地用眼角扫一眼人猿泰山，唯恐他突然发起疯来会杀伤哪个同类。

在大猿还时时注意他的时候，他忽地跳上近处的一棵树，向远处荡去，一会儿就看不见了。于是大家很快就把他忘记了，连娣卡也一样。

孟格村的武士汗流浃背地干着他们那件吃力的工作，时不时就要休息一会儿，只能缓缓地向他们的村庄前进。笼子里的那头野兽在他们移动时，总是在笼子里又吼又咆哮，不断地踢打着笼子的立柱，嘴里淌着口水，鼻孔扇动着发出呼呼的声音。

他们几乎要走完他们的旅程了，正在作最后一次休息，准备起来后一口气把笼子拉到村子里的空场上。可是就在这会儿，意想不到的事发生了。

一个身影悄然无声地在黑人的上方移动着，敏锐的眼睛打量着那只笼子，计算着武士的数目。警觉而大胆的泰山在脑子里正估计着如果他的一项计划成功的可能性有多大。

泰山注视着树林里懒散地在树荫下休息的黑人。他们都很疲劳，有几个竟然睡着了。泰山在树上向前爬到他们的头顶，偷偷向前移动时注意不让树叶有一点摆动，就像野兽等待猎物一样怀着极大的耐心。

现在只有两个武士还醒着，而其中的一个已经要开始打盹儿了。

人猿泰山打起精神来作好了准备，就在他这样做的时候，那个还没有睡的武士突然绕到笼子后面查看起来。小人猿正在他的上面尾随着，但是同格看到这个武士时却轻声地咕噜起来。泰山害怕同格把睡着的黑人都弄醒，所以用黑人听不懂的猿语小声地向同格示意不要出声。同格这个畜生竟然很快就静了下来。

黑人到了笼子后面，查看起笼门是否闩牢，而当此时他头上那个勇猛的猿人，突然扑了下来，跳到他的背上，钢铁一样的手指掐住了他的脖子，刚好让这个被吓坏了的人的喊声还没有离开嘴唇就咽了回去。泰山锐利的牙齿一口咬住了他的肩膀，两条腿也夹住了他的躯干，让他动弹不得。

那个黑人吓得浑身发抖，拼命挣脱突然扑到身上的这个无声无息的东西。他向后一仰摔倒在地上，左右翻滚着。可是那两只致命的手在他脖子上越掐越深。黑人的舌头已经吐出了嘴外，两只眼珠子也快从眼眶里掉了出来，但是那双掐紧的手却更加用力。

同格只是静静地看着这场格斗。在它迟钝的小脑袋里，这会儿一定奇怪泰山为什么要攻击这个黑人。它还没有忘掉不久以前和泰山的战斗，所以不明白泰山要干什么。现在它终于看到那个黑人瘫软成一团，被泰山丢在地上，一阵痉挛过后，就一动不动了。

泰山从黑人旁跳开直奔笼门，用他灵活的手指迅速地在捆住笼门的皮带上弄个不停，同格只能在那里莫名其妙地看着。不一会儿，笼门就被拉开了一条两尺宽的缝隙，同格爬了出来。这头大猿这会儿只想转身到黑人那里去报仇，但是被泰山制止了。相反，泰山转身把那个死了的黑人拖进笼子里来，还让他的身体倚着笼子坐在那里，然后他把笼门放下，再用皮带拴紧，就像根本没有动过一样。

当泰山干着这些事的时候，一丝愉快的笑容掠过他的脸上，能耍弄孟格村的黑人就是他最大的快乐。他可以想象当这些黑人醒来，看到伙伴的尸体被关在笼子里，而里面的大猿却不翼而飞时，他们的惊讶和恐惧一定是非常有趣的。

泰山和同格一块儿跳到树上，浑身长毛的大猿和皮肤光滑的高傲的英国人，肩并肩地在原始丛林里飞快地穿行。

“回到娣卡身边去。”泰山一面在树上向前荡着，一面对同格说道，“它是你的，泰山不想要它。”

“泰山找到了另外的一个吗?”同格问道。

泰山耸耸肩、摇摇头说:“丛林里的这些黑家伙有他们自己的伴侣。公狮努玛有母狮沙保;猎豹希塔有母希塔;公鹿也有母鹿做伴;猴子曼纽也有同类的伴侣，就是所有的鸟类也都雌雄相配。只有人猿泰山没有，一个也没有。同格是个大猿，娣卡也是个大猿。去到娣卡那里吧!泰山是个没有毛发外衣的人，他要一个人走了。”

二
被 俘

黑武士正在湿热的丛林树荫下起劲地工作着。他们用矛把地表那一层黑色的腐殖质弄松，掘开土层。然后用带着长指甲的双手，从陈年的小路中央捧走一块块的土块。他们不时蹲下来歇一会儿，一边聊天一边嬉笑，渐渐在他们的脚前出现了一个越来越大的坑。

休息时，在附近的一棵大树干上，黑武士倚着他们长圆形的水牛皮盾牌，长矛放在一旁。汗水顺着他们黑漆光亮的皮肤淌下，皮肤下面显露着一块块圆滚滚的肌肉，柔软而有力地表现出一种天然的健康。

一头牡鹿小心地一步步沿着小路向水边走去，当突然听到一阵笑声时，它不免竖起了耳朵停在那里。有那么一阵它像塑像一样站着，只有鼻孔一翕一合，最后还是转身从可怕的人类面前悄无声息地逃跑了。

大约一百码以外，人类从来走不进去的茂密草丛中，雄狮努玛抬起了毛发蓬松的大脑袋。这只狮子昨天一直饱餐到快天亮的时候，要不是这嘈杂的人声，还要好好睡上一阵子。这会儿它终于伸着鼻子向空中闻来闻去，捕捉着淡淡远去的牡鹿的味道和浓郁的人的汗臭味。但是,这会儿它已经吃得太饱了,只是咆哮几声以后,就站起来慢腾腾地走掉了。

羽毛华丽的小鸟带着刺耳的叽叽喳喳的尖叫，在树木间飞来飞去;小猴子们也不断吵闹着,在黑人头顶摇摆的树枝上蹿来跳去,但是它们却是无人理睬的。因为宽容博大的原始丛林里的万千种生命,就像在城市里的芸芸众生一样,在上帝的大千世界里,也不过是自成群体的孤独的一小部分罢了。

不过他们有时也并不完全是孤独的。

就在黑人们上面的一处地方,一个灰眼睛的青年人,在树叶的掩映下轻轻跳落到一棵大树枝上，密切注意着他们的每一个动作。仇恨的怒火郁结在他的胸中,他怀着好奇,想知道这些黑人要干些什么。正是这样一些人,曾经杀死过他亲爱的卡拉。这些人对于他来说只是敌人，不可能是别的。但是他喜欢看着他们,渴望知道这些人的行为方式。

他看着他们挖的坑越来越深,直到像一只张着的大口,横在小路当中。这是一座大得可以一次装下六个挖坑人的坑。泰山猜不透他们这样苦干的目的是什么。等到看见他们把一头削尖了的几根木桩,间隔着栽进坑底,他越发不解了。接着他们又在坑上横竖搭了几根细枝条,再在上面盖满树叶和泥土,把这座坑完全挡了起来。这时的泰山更加觉得莫名其妙了。

这些黑人此时心满意足的样子,泰山都看在眼里。不过在他敏锐的眼睛看来,他们掩蔽这个坑的工作确实弄得很好,虽不能说天衣无缝,也算得上相当出色了。泰山对他们挖这么一个坑的目的感到实在是太神秘了，以至于这次竟让这些黑人大摇大摆地向他们的村子走去，再没有像往常一样，玩点恐怖的把戏去惊扰他们，以满足他复仇的喜悦。

泰山对这些黑人的行为当然是迷惑难解的了。因为他们毕竟闯到这个荒凉的世界里来只有不长的时间，而且他们也是第一批进入这蛮荒之地的人类。对于这里的努玛狮子、大象、大猿和大大小小的猴子以及丛林中其他的千百种生物来说，人类的行为在此之前都是陌生的。他们对这些黑色的、没有毛发披散在身体上的、用后脚直立走路的动物，无疑还需要好好了解。不过可以肯定，他们知道得越多，就越会明白这些黑家伙对他们的安宁越是不利。

泰山在这些黑人走后不久，就跳到地上来。他在黑人挖的这个坑边嗅来嗅去，绕着它走了一圈；然后又蹲下来，拨开一点坑边覆盖的泥土，露出了搭在坑上的小树枝，对它又是摸又是闻，歪着头沉思了好一阵；最后又把它们按原样覆盖好，接着才跳上树去，在树枝间向他的浑身毛发的老伙伴们——大猿喀却克的部族荡去。

他在路上遇见了老对头——狮子努玛，他摘了一个野果子向它的脸上掷去，还嘲讽地骂它是吃腐肉的鬣狗旦格的哥哥，并向它做鬼脸。努玛这时瞪着黄绿色的大眼睛，里面阴森森地充满了怒火，看着在它上面跳来蹦去的那个人而无可奈何。狮子低沉的咆哮震动着它的喉管，极度的愤怒只能转化到它的尾巴上，让它倒竖起来，然后猛地向空中一翘，像鞭子一样甩下。但是根据过去的经验，它和小人猿相隔这么远的“争吵”，终归是无济于事的。所以，它只好转过身，生气地扫着尾巴，向着茂密的草丛走去，隐没在对手的视线之外了。泰山看它走了之后，也像大猿战胜对手时一样，仰面向天长吼一声，就继续赶路去了。

他又走了一英里多路，上风头突然刮来一股熟悉的刺鼻气味，有什么动物似乎就在眼前。果然不一会儿，在泰山的下方，一个灰黑色的大家伙，扇动着大耳朵和一只大肉鼻子，缓慢而悠闲地走了过来。这是泰山的老相识大象吞特。泰山猛地折断了一根小树枝，一声“咔嚓”的声响，立刻让那个笨重的大家伙停了下来。它的大耳朵立刻竖了起来，柔软的大鼻子更是不停地伸来晃去，寻找危险的气味。它的两只小眼睛也茫然无益地试图找到扰乱了它安宁的声响来源。

泰山不由得哈哈大笑，来到长着厚皮的大动物的上方叫道：“吞特!吞特!巴拉(猿语，鹿)的胆子也比你大。你，一只大象，丛林里最大的大家伙，力气能顶得上好几头努玛，对付它们不过像用鼻子摸摸脚趾头那么容易。力气能拔起大树的家伙却让树枝的折断声吓了一跳。”

大象发出了呼噜噜的吵闹声，像是它的回答。但它既不像叹息也不像放心似的松了一口气，只是竖起来的大鼻子和大耳朵都放了下去，尾巴也和平常一样了。不过它的小眼睛还是在不停地搜寻着泰山。可是，这也没用多久，因为几秒钟之后，泰山就跳到他老朋友宽阔的大脑袋上了，然后他就伸展了身体躺在上面，用脚趾敲打着它的厚皮肤的脊背。泰山两手背过来用手指挠着大耳朵下面柔软的面颊，一面嘴里嘟嘟囔囔地说着丛林里的事，就好像他的每一句话吞特都懂得似的。

看起来大象对泰山的话好似听懂了不少，其实泰山对他讲的一大堆语言，远远超过了这个丛林大家伙所能接受的范围。不过，它仍然静静地站在那里，眼睛一眨一眨，轻轻摇着大鼻子，就好像正着迷地欣赏着泰山的每一个词句。不过事实上，只是这种友好而熟悉的声音和在它耳朵前后抚摸的手让它感到舒服罢了。而且，泰山从小就喜欢跳到大象背上，一旦形成了这种互无防范的关系，他也就假定在这个丛林里长着大獠牙的庞然大物心里也对他充满着友情。在他们多年的接近中，泰山发现他已经掌握了一种不可思议的力量，能直接控制和指挥他这力气巨大的朋友。在泰山呼唤大象时，只要它敏锐的耳朵能听到小人猿尖利刺耳的叫声，它就会随时从哪怕是很远的地方穿过丛林跑来。这实际上是万物之灵的人对野生动物的一种超越，尽管看起来好像是两者之间的一种默契。

半个多小时过去了，泰山还趴在吞特的脊背上。时间对他们俩都是没意义的。生活对他们而言主要就是如何装满自己的肚子，与大象相比这对泰山来说并不是一件多么艰苦的事。因为泰山的肚子要小得多，且有个会吃杂食的胃，食物也不难得到。如果某种食物一时不易得到，还有许多别的食物可以满足他的食欲。他不像吞特那样只能吃某些种类的树皮或另一些植物的木质部分，同时，一年里只有到季节适宜时才能吃它们的叶子，而且数量很大。所以，对吞特来说，它一生的大部分时间用来填满肚皮，借以保持庞大的躯体和肌肉的需要。这也是人以外的动物的普遍状态，它们的生活都被搜集食物和消化食物的过程所占据。这也就是动物没有人进化得快的原因吧！人会有更多的时间用于思考饮食以外的其他问题。

当然泰山是不会这样去考虑问题的,更不用说吞特了。如今泰山只知道他和吞特相处得很愉快罢了。他既不知道这种感觉是为什么,也不了解自己是万物之灵的人类。他只是渴望从生活中获得更多的爱。可是喀却克部族中他幼年时的伙伴早就长成身材高大的粗野的大猿了。现在才出生不久的幼猿,泰山只是偶尔和它们嬉闹一会儿。尽管泰山也觉得它们可爱,但是它们远不是泰山可以休闲沟通的伴侣。吞特与它们相比毕竟还是一个平稳、宁静和踏实的动物。泰山四脚八叉地躺在吞特宽大的脊背上,向它不时扇动的大耳朵里灌输自己模糊的想法和灵感,这无疑是一种享受,有一种心满意足的舒适。在所有丛林的“动物居民”中,吞特是自从老母猿卡拉被杀害以后获得泰山最多爱抚的朋友。有时泰山很想知道吞特是否理解他对它的宠爱,但这是很难弄清楚的事。

现在为了口腹之需,泰山不得不离开吞特背上的安乐窝了,他也无法不听从辘辘饥肠的指挥。泰山跳到树上,朝大象相反的方向去搜寻吃食去了。而大象则依旧缓缓向前走去。

有个来把小时,人猿一直在寻找着,尽管野果就挂在他的头上。这儿有樱桃以及香蕉等等他菜单上常见的东西,可是今天他却想寻找肉食。肉食!只有肉食才总是引起泰山狩猎的欲望!只是有时肉食并不是容易到口的美味,就像今天一样。

当他在丛林中游荡的时候,他活跃的思维常常也在不停地想着最近发生的事情,这几乎成了他一个不由自主的习惯。这会儿他正想起遇见吞特的事,想起挖坑的黑人和那个留在那里却又遮盖了起来的大坑。他反复思索着它究竟是做什么用的:他常常这样反复地分析比较，最后得出结论。尽管他的结论未必正确,但至少是动了脑筋的判断。

正在他反复思考着今天这件怪事的时候，突然在他脑海里出现了一个灰色的庞然大物——他的吞特，在小道上慢吞吞地游荡着向前走去的景象。就在这时,泰山忽然产生了一种强烈的恐惧感，决定和行动在人猿泰山的生活中几乎往往是同时完成的。而现在,他正飞身向原来大象走过的方向奔去。这时,这个大坑究竟是做什么用的在他的思考里似乎已经有一点眉目了。

从一棵树的树枝上荡向另一棵大树的树枝，泰山在树枝密集的丛林中向前荡去。他有时又不得不跳到地上来,轻步奔跑着穿过绿草如茵的林间空地。只有遇到灌木丛、缠绕的藤蔓妨碍时,他才又跳到树上,在它们的上面荡行。

在急匆匆的行进中，他把平时的谨慎已经丢到九霄云外去了,因为小心早被对朋友的一片关心所替代。就这样他突然闯入了一片开阔地。他一点儿也没有想到在这里会遇到什么阻碍,就不在意地从树上跳了下来,向开阔地的另一边大步走去。当他穿行到这片空地的中央时,从一处茂密的高草丛中,被他惊起了一群叽叽喳喳的小鸟。这时的泰山立刻警觉,这些像哨兵一样的小鸟预示着他即将遇见一种什么动物。果然刹那间,从迎面的草丛里匆忙站起来的一头短腿布吐(猿语,犀牛),摆出了一副进攻的样子。不过犀牛的攻击大都是不准确的,它小眼睛的迟钝视力使它的攻击总是显得有点飘忽不定，就是距离不远它也常常失去目标,尤其当它内心怀着胆怯想要逃跑的时候。不过,一旦被它上一下子,那也是足够致命的了!

今天布吐隔着不远的没膝蔓草径直冲向泰山。它突然受到来自泰山方向的惊吓而站了起来，然后用小眼睛拼命地搜寻敌人的方位，并且咆哮着直向泰山冲来。刚才被泰山惊起来的那些犀鸟，也正围着它们的主人飞个不停。在空地一边的树上，一大群猴子被犀牛的吼叫和喷鼻子的声音吓了一跳，也跳到最高的树枝上吱吱乱叫乱跳个不停。这时泰山却显得胸有成竹、安详自如。

他就站在犀牛来路的正中央，附近当然也没有什么树木，而泰山又不想为了布吐而延迟行程。他领教过这个笨野兽的招数，心中已经有足够的准备。就在犀牛全力冲到面前时，他已经绕过了犀牛的大脑袋和吓人的长角，纵身一跳蹿上犀牛的脊背。接着他又一跳，就到了犀牛的身后，然后像一头鹿一样，直奔大树丛而去。

扑空了的犀牛不由得大怒，转身乱冲起来，可是恰巧那又不是泰山逃走的方向。此时泰山早已经跳到树上，安然地以他特有的速度在树间飞奔。

在泰山前方的某个地方，吞特正慢吞吞地沿着一条老的象路向前走去。在吞特的前方，正趴伏着一个竖起耳朵倾听动静的黑人。他突然听到了渐到跟前的噼啪咔嚓声，这表明一头大象正在走近。黑人的左边还有另外一些正在守望的同伴。这时只听见一声低沉的信号在他们之间传递开来，这是告诉同伴猎物正在走近。不一会儿，他们迅速都朝象径这里集中。他们各自占据一个大象来路的下风头位置，静悄悄地守在那里。他们都屏住了声息，终于让他们等来了渴望已久的一头甩动着大鼻子、长着一副让他们怦然心动的雪白象牙的大家伙。

大象走过了他们潜伏的位置，武士从树枝上跳了下来。他们不再沉默，有的鼓掌，有的高呼。大象受了惊吓，突然站住了。鼻子和小尾巴都直竖了起来，大耳朵也同样竖了起来，然后就撒开四条腿向前大步笔直地朝着那个掩盖的大坑和那竖在坑底的尖木桩跑去。在他的后面跟着一群使劲呼喊的武士，催促它拼命快跑，不让它有注意脚下的机会。大象吞特本来可以转身把一群对手赶散，现在它却像一头飞逃的惊鹿，直向使它死亡的地方跑去。

在大象的后面，是全力飞速赶来的泰山。他就像一头松鼠一样在树枝之间蹿跳奔跑，因为这会儿他听到了黑人们的呼叫，一下子就明白了他们想干什么。他曾发出过一次引起丛林回响的尖利叫声，可是已经受了惊的吞特没有听到，即使听到了也不敢停住脚步。

这会儿大象离埋伏在路上的陷阱只有不多的几码了。后面的黑人肯定以为他们就要成功了，正一个劲儿地呼喊、乱跳，挥舞着长矛紧追不舍，同时心花怒放地庆贺即将获得美丽珍贵的象牙和能美餐一顿的象肉。他们高兴得已经完全忘乎所以了，所以一点儿也没有注意到正在他们头顶上树枝间蹿过的人猿泰山。就连吞特也看不见泰山，更听不见泰山让他停下的警告。

再有几步吞特就会跌到坑里的尖桩上，而这时泰山正好已经赶到了它的前面。泰山跳到地面，落在坑边。大象的小眼睛看到他时，它的身体也刚好到了小人猿的面前。大象一下子认出了他的老朋友。

“站住!”泰山大喝一声。大象恰好就在他举起的手前面停了下来。泰山赶快转身踢开了盖在坑上的几根树枝。大象立刻看明白了前面的陷阱。

“冲回去!”泰山咆哮着说,“他们已经在你后面了。”

但是这会儿的大象已经吓昏了头，在他前面就是那个揭开了一角的大坑。坑究竟有多大吞特并不知道,不过大坑左右却是没有异样的灌木丛。于是它尖叫了一声,突然右转逃去。只听得一阵稀里哗啦的响声，他已经冲进只有他这样庞大的躯体才能踏进去的被藤蔓缠得牢牢的树丛中去了。

泰山站在坑边看着大象惊慌失措的样子不由得笑起来。这时黑人们马上就要来了,他自然是走掉的好。于是他转了个方向就要离去。可是就在他转身把全身的重量都压在一只脚上时,这只脚下的坑沿突然塌了下去。泰山本要纵身跃起,可是已经来不及了,竟一个跟头栽了下去,脸朝上地直向尖木桩跌去。

不一会儿工夫,黑人已经来到坑边,他们从前面不远处就看出来大象已经溜掉了。因为坑盖上的那个窟窿绝容不下大象那样庞大的身躯。一开始他们想可能是大象在上面踏了一脚,就抽身跑掉了。可是当走到坑边向坑里窥探时,却大吃一惊,一个个眼睛睁得溜圆,坑底竟躺着一个裸体的高大白人。

他们中有几个人以前曾经看过一眼这个丛林之神。因为相信这个白人有什么魔法,所以他们吓得后退了几步。可是另外一些黑人却相信他们不过是得到了另一个猎物，竟走上前来跳进坑底,把泰山举了出来。

泰山身上并没有什么伤破的地方，只是后脑勺上被木桩撞起了一个肿包,表明他只是落下时被木桩的侧面碰昏了过去。黑人们当然也很快看出了这一点,于是立刻把他的手脚绑了起来。

因为他们对这个“人兽”多少怀有一些敬畏，也知道他是和那些披满毛发的丛林大猿居住在一起的。

黑人抬着泰山向他们村子的方向走出没有多远，人猿眨了几下后终于睁开了眼睛。他向周围奇怪地看了一小会儿，当他的意识完全恢复以后，明白处境不妙。他从小习惯于依靠自己，现在也不奢望外力相助，而是绞尽脑汁考虑逃跑的可能性。他现在还不敢试图挣断他身上的捆绑物，因为一旦黑人发现了，可能会把他捆得更紧更牢。

不过，现在他的对头们到底发现他已经醒来，恢复了知觉。这些黑人现在肚子里已经空了，没力气抬着他走过这闷热的丛林，所以就把他放在地上，解开他的两腿，赶着他走在他们中间，还时不时地用长矛一下一下刺他，不过这只是因为他们内心胆怯，对他怀着畏惧的一种壮胆行为罢了。

当黑人们发现对他们的刺戳泰山并没有显出痛苦的表情后，更加心虚起来。因此，他们很快就停止再去惹他了，而是有点相信这个奇怪的白人大汉可能真是什么神人，所以才对疼痛没有反应。

当快要走近村落时，胜利的武士挥舞着长矛，大声高呼着得胜的口号。当他们走到村寨的大门时，这里已聚集了一大群村里的男人、女人和孩子，一边祝贺他们，一边七嘴八舌地询问他们这次狩猎的故事。

当村里人眼光落到那位俘虏身上时，他们变得激动起来。一个个嘴巴张得大大的，流露出吃惊和难以相信的神情。因为好几个月来，他们一直生活在对这个偶尔有人瞥过一眼的白色神魔的离奇的恐惧之中。武士们有时忽然就从他们中间或者从村子里可以看得见的小路上凭空消失,就好像被土地吞食了一样。可是到了晚上,他们的尸体又好像从天上给丢到村子的街道上。

这个可怕的家伙还在晚上出现在村子的小屋里，杀了人就不见了,却把死者留在小屋里摆出一副可怕的滑稽相。

现在他可是落在了他们的手里了!他再也不能对他们做什么可怕的事了,这一点是他们慢慢才弄明白的。一个黑女人突然大叫起来,哭喊着向他跑去,向他脸上重重地打了一下。接着另外的人也学着她的样子,直到泰山的周围,围满了一伙发了疯的乱抓、乱打、乱叫的暴民。

然后,酋长孟格走来,用长矛把他的人从猎物泰山身边隔了开来。

“我们要把他留到晚上。”他说道。

远在丛林里的吞特的惊恐已经慢慢消失了，这会儿正站在那里竖起耳朵,不停地摇摆着大鼻子。这个庞然大物的脑子里正盘旋着什么想法?它能回想起人猿为它所做的事吗?这大概是没有什么问题的。不过它知道感激吗?如果它一旦知道它的朋友正面临着危难,它能冒着生命危险去搭救泰山吗?任何熟知大象性格的人都会对此感到怀疑。在印度猎象的英国人肯定也会告诉您,他们从没有听说过有大象救人的故事。总体说来,人和大象只是很友好而已。所以要大象克服对黑人本能的恐惧而去援救泰山,恐怕是很难的事。

这时黑人愤怒发狂的喊叫声已经渐渐听不见了。大象由于恐惧转身要逃跑,但是有什么使它停了下来。于是它又转过身来,举起它的大鼻子在空中嗅来嗅去,而且发出了一声尖利的叫声。

然后,它又站在那里静听起来。

远处的黑人村落里,孟格已经使全村恢复了平静和秩序。这时,泰山的俘获者正把他领到一个小屋里。在那里他将被禁闭和看守到晚上的祭神狂欢,然后就被残酷地处死。吞特的尖叫声黑人们是很难听得出来的,可是却给人猿泰山带来了消息。泰山听了这尖叫,突然站住了,他扬起头引项高叫,使旁边那些迷信有鬼神的黑人觉得一阵恐惧,毛发直立。尽管他们明知道泰山现在被捆绑得很牢,可他们还是不禁立刻端起长矛把他围在当中。泰山这时却侧着耳朵静听了一会儿，当他听到遥远的丛林中终于也响起一声隐约的回应时，他就放心地跟着黑人们到关他的小屋里去了。

这天的下午,在黑人们准备祭宴的忙乱声中很快就过去了。从小屋的屋门望出去,泰山能看见黑人妇女正在忙着架火,并往陶罐里倒水。但是对泰山来说这一切都是无关紧要的,他聚精会神地努力想听到吞特走来的脚步声。

尽管泰山对吞特的到来持半信半疑的态度,但是他毕竟太了解吞特了,甚至比吞特自己还了解。他知道在吞特庞大的身体里藏着一颗胆怯的心，也知道这些陌生黑人的气味在它心里引起的恐惧。随着夜幕的降临,他期望于吞特前来相救的想法正在消减,此时他反而持一种听天由命的冷静态度去面对自己的命运。

整个下午,他在小屋里不停地对付绑着手腕的皮条。他非常缓慢地一点点把它弄松。他很可能在黑人们把他领到杀人柱之前取得成功,泰山不由得舔了下嘴唇,露出了一脸轻蔑的笑。他可以想象得出那些柔软的黑皮肤在他有力的指头下的感觉和他锐利的牙齿插进敌人喉管里的滋味，至少要让他们在打倒他之前尝尝他的厉害。

最后,那些武士到底还是来了。他们脸上涂了颜色,头上插了羽毛,比他们原来的样子还要难看得多。他们走进来把泰山推了出去。

一到露天之下，迎接泰山的是一阵阵来自聚集在外面的村民的狂呼乱叫。武士们把泰山粗暴地径直推向那根杀人桩,为的是把他牢牢地绑在那里,等待他们跳完死亡之舞。此时泰山努力鼓起他全身力气,只一挣,就把已经松动的皮条挣开了。说时迟那时快,他向前一跳就窜进了武士群中,一拳打倒了一个手边的黑武士,跟着踢翻了另一个并踏上他的胸口。他的牙齿很快咬进了第三个敌人的咽喉。可是接着却有四五十个黑武士一齐拥了上来,把他推倒在地。于是打呀、抓呀、咬呀,人猿就像大猿教他的那样战斗着,活像一个陷入困境的野兽。他的力气、他的敏捷、他的智慧和勇气使他可以不费力气地徒手对付六七个黑人,可是却没有那么大的气力斗得过一齐上来的四五个黑人。

和泰山打斗的黑武士中,尽管有二十来个身上多了血肉模糊的伤口,还有两个伤重身亡,但他们到底人多势众,慢慢地占了上风。尽管如此,他们最后能把他再捆起来吗?半个多小时的拼命打斗,使他们相信要做到这一点是很困难的。尤其是站在圈外安全地观战的孟格村长，对此更是看得很清楚。于是他招呼过来一个武士,让他去执行一项最终能结束战斗的攻击。这个武士受命之后,提着他有毒的长矛,径直挤进混战的人群,向目标靠近。

他站在那里高举着沾了毒汁的长矛，一直在等待一个刺中人猿而不致伤着自己人的机会。他顺着混战的人群空隙缓缓向前挪去。泰山的咆哮声常引起黑人一阵阵恐惧的颤抖，就好像从后背浇下来一盆冷水。这使他不得不更加谨慎，免得一枪投不中，反伤在这个牙齿锐利、拳头有力的家伙手里。最后终于被他找到了一个机会。可就在他把全身的力量集中到右臂上，准备投出致命一掷时，忽然从树林边的栅栏处响起了一阵噼啪暴裂的巨响，举起来准备投掷的手就停在了半空里。他转过头来和那些刚刚退出与人猿泰山的战斗、正在缓气的黑武士，正好借着摇曳的火光看见一个庞大无比的身体踏倒了木栏，带着向里侧飞溅的木片——一头巨大的大象向他们这里轰隆隆直冲而来。

这时黑人们立刻作鸟兽散，他们惊恐地呼喊着左右乱跑起来。一些在混战外围的黑人还来得及听到这声巨响，看到奔跑而来的大象，立刻夺路逃走。贴近泰山的几个武士却只顾呐喊打斗，还没有来得及注意外面发生的事，就成为大象疯狂攻击的目标。它停在他们跟前，大鼻子左右乱扫，把他们一个个拨了开去，大獠牙也不停地乱挑。最后在人群中央，它终于发现了虽然浑身血迹、筋疲力尽却仍然在挣扎战斗的泰山。

有一个被打翻在地的黑人正要爬起来，却被大象的鼻子卷了起来，只一甩就扔出了老远，跌在那里动也不动了。这时大象的小眼睛里边闪着的愤怒凶光是那样残酷和可怕，让人感到恐惧。有的黑人来不及逃避就被大象有力的大鼻子扫到了一边。它这时已把围在泰山身边的黑人都驱赶和扫卷了出去。那些被它撞倒、扫开和甩出去的黑人，有的在呻吟，有的在挣扎，有的却躺在那里无声无息了。

这时站在远处的孟格村长看得清清楚楚，他贪婪的目光一下子就看中了那一对雪白的象牙。开始的恐慌过去以后，他就催促他的人赶紧找出专门对付大象的长矛。但是等到他们找到长矛赶来时，大象已经从地上卷起泰山，搁到它的背上，转身穿过刚才撞开的栅栏缺口，呼隆隆地大步向丛林的深处走去，追也追不上了。

猎象先生断言，这种动物不会为一个人做出专门的贡献，他们也许是对的。但是对吞特来说，泰山并不是一个“人”，他只是丛林里的一个熟识的伙伴。

同样吞特也并不是对人猿泰山作出什么感恩的报答，这只是他们之间一种共存的需要，因为他们之间的牢固友谊是从泰山幼小时就已经开始了的。那时他经常坐在或躺在他朋友宽阔的脊背上，漫游在热带丛林里的月光之下，共同分享着一种共处的温馨和理解。

三
为巴鲁而战

娣卡已经做了母亲。泰山对此感到很大的兴趣,比做父亲的同格还高兴。泰山曾经很喜欢娣卡,就在娣卡将要临产的时候,也没能完全消除这个自由自在的年轻人对它的热情。娣卡有好长时间仍然保留着一个性格柔和的母猿的特点，虽然喀却克部族里其他的母猿成年后变得脾气暴躁起来，它仍然保持着孩子一样的好玩的习惯,仍然喜欢泰山经常突发奇想出来的游戏。

在丛林里的树梢上玩这种游戏,既刺激又令它兴奋。泰山很喜欢这种玩法,但是他从前的公猿玩伴现在都已长得体态硕大,高层的树枝已经无法承担它们庞大的重量了，所以它们早就放弃了这种孩童的游戏。只有娣卡还喜欢这种嬉戏,直到不久以前它的身子笨重起来。但是随着婴儿的出生,娣卡的性格也变了。

娣卡明显的变化令泰山大吃一惊，而且对他造成了无法言说的打击。有一天早上,泰山看见娣卡蹲在一根低树枝上,怀里抱着一个什么东西,紧贴着它毛茸茸的胸膛,显出无限亲密的样子。这是一个小得可爱的动物,似乎在不停地蠕动着。泰山怀着极大的好奇向娣卡走过来,这是任何一个对此一无所知的、年幼的脑袋都会产生的奇想。

但是，出乎泰山的意外，娣卡却一面瞪圆了眼睛朝他望着，一面更加紧紧地抱住了怀里那个蠕动的小东西。泰山向它走近一步，娣卡却向后退了几步，还不怀好意地向他露出獠牙。泰山不由得困惑起来。在他和娣卡的交往中，除了逗着玩，娣卡从来没向他龇过牙，不过今天娣卡却绝没开玩笑的意思。泰山只好把手指插进头发里搔个不停，歪着头思索着。然后他又向前蹭了蹭，伸着头想把娣卡怀中的小东西看得更清楚一点。

这一次娣卡照样后退了一步，仍然向他龇着牙发出威胁的咆哮。泰山又伸出一只手，小心地想摸一下娣卡怀里的东西。不料娣卡却向他发出了一声咆哮，冷不防伸嘴就把人猿泰山的胳膊咬了一口。当泰山不自觉地在树间向后退去时，娣卡还向前追了几步。但是娣卡毕竟怀里抱着婴儿，追不上泰山。这会儿泰山已经停在一个娣卡够不到的地方，看着他昔日的玩伴，显出莫名其妙的惊讶。一度温顺的娣卡究竟发生了什么变化?它那么凶猛地保护着它怀里抱着的那个小东西，连泰山想清楚地看一眼都不行。现在当它转身不再追泰山的时候，泰山才瞅见娣卡怀里抱的原来是个小婴儿。尽管泰山手还在疼痛，也带着几分懊恼，但他还是禁不住微笑了一下。因为泰山忽然醒悟，他以前看见母猿们也是这样凶猛地保护着它们的婴儿。不过要不了几天它们的疑虑就会少一点了。只是泰山觉得娣卡却大不该对他这样，难道在所有的同伴当中，娣卡还用得着怕他吗?难道在这个世界上不是只有泰山才不会伤害它和它的小巴鲁(猿语，婴儿)吗?

在他的胳膊和尊严受到伤害之后，仍然有一股强烈的好奇心驱使他走到跟前去看一眼同格和娣卡的新生儿。也许人们会奇怪，曾是如此有力的人猿泰山，一个英勇的斗士，会在一个发怒母猿面前被吓跑吗？或者在很容易就能制服的一个刚生下儿子、身体还很虚弱的母猿面前，他连看一眼小婴儿都难以办到吗?如果读者是一头公猿的话，也会明白只有发了疯的家伙才会欺负一个母亲而不是去温和地安抚她。这就像有时在我们自己中间，只有那些精神不正常的人才会无理地去打老婆，欺负她们力气小一样。

泰山再一次小心翼翼地、留有退路地蹭近娣卡。而这一次娣卡照样向他龇牙咆哮。人猿不得不解释说："人猿泰山绝不会伤害娣卡的巴鲁，让我看一眼吧!"

"走开，"娣卡毫无商量余地地说，"不然我会杀了你。"

"让我看一眼吧!"泰山想说服它。

"走开，"母猿一点也不让步，"同格过来了，他会把你杀死的，这是同格的巴鲁。"

他们正说着，泰山的背后响起了一声咆哮，提示泰山，同格已经来到了跟前。事实上，同格正是听到它雌伴的警告和对泰山的威胁声才来援助它的。

娣卡和同格曾经都是泰山的游玩的伙伴，尤其在公猿同格还是一个喜欢嬉闹的"青年"时。有一次泰山还救过同格的命，但大猿的记忆不能长久保持，而且，它们的感恩情感也远不会超越其他遗传的求生的需要。不过，泰山和同格倒是比试过一次力气，当然是泰山把它打败了，这一点倒是令同格记忆犹深。但就是这样，在它处于一种精神高昂的状态时，它也会为了它的第一个孩子去面对另一次失败。

它可怕的吼声现在越发有力和洪亮了，可以判断出它现在正是处于这样一种状态。可是泰山并不觉得同格现在有多么可怕。而且，按照丛林的惯例，他也绝不会面对任何一个雄性的挑战撒腿逃跑，除非有什么别的个人原因。但是泰山是喜欢同格的，他并不想和同格打斗，而且同格的样子并不是对泰山有什么不解的仇恨，这只是公猿保护自己后代的一种天性罢了。

泰山不想和同格一决雌雄。但是他遗传了英国祖先的血性，当遇到任何公猿的挑战时，他也绝不想躲避。所以，当同格冲过来时，泰山只是敏捷地跳到一边。可是这却引起了同格的误会，反而鼓励了它。于是它急速转身向泰山冲来。同格这样做可能是还记恨着不久以前和人猿角力的失败，也可能是因为娣卡正看着他们的缘故，丛林里几乎所有的公兽都有在母兽面前夸耀自己的本性。

人猿的身边挂着长草绳，昔日的玩具，今日的武器。当同格发起第二次进攻时，泰山把绳圈准确地套到了同格的头上。在同格不知所措的时候，泰山又敏捷地把绳圈从同格头上抖了回来。就在同格忙于对付绳圈时，人猿却顺利地在它攻击前溜走，躲到更高处的树枝上去了。

现在，同格真的被泰山的戏弄激怒了，它向泰山跟前攀去。娣卡也在下面望着他们，真难说它是否对此感兴趣。同格是爬不到泰山那样的高度的，因为泰山达到的地方笨重的同格上不去。所以泰山只是在那里向同格做鬼脸，尽力地嘲讽它，弄得同格火冒三丈，只能在树上乱蹦乱叫。就在这时，一只更大的绳圈突然又从上面落了下来，只一抖就恰好落到同格的身上，然后泰山又一抖，这绳圈又向下直落到同格的膝盖下面，再一抖就紧紧地箍在同格长满长毛的小腿肚子上面了。

同格的脑子太笨，远没有弄明白对手的企图，只会拼命地叫喊。就在这时，泰山猛然一抖手中的绳索，就把同格拉下了它站立的树枝，同格一个倒栽葱刚好挂在离地面还有三十英尺的地方。

泰山稳稳当当地把绳索的一头紧拴在一根又粗又牢的大树枝上，然后下到同格的面前，对它说道："同格，你真像布吐一样笨。现在你就吊在这里，直到你简单的脑子里能懂一点道理为止。这会儿我就和娣卡聊天去了。"

同格听了，只顾在那里一个劲儿地大发脾气和发出威胁的声音，泰山笑嘻嘻地从它身边轻轻地跳到下层树上。他又来到娣卡附近，但是娣卡还是向他龇出獠牙，发出敌意的咆哮。泰山极力地安抚她，表示出友好的意图，并且伸长了脖子想看一眼娣卡的小巴鲁，但怎么也不能说服这只母猿。她除了认为泰山会伤害她的小崽以外，再也不会想到别的，她刚做母亲的天性是无法理喻的。

当明白驱赶泰山离开是无用的的时候，娣卡只好躲开他。她下到地面上，缓缓地来到一处大猿们常常休息和搜寻食物的林间空地上。泰山也只好放弃了说服娣卡让他看一眼它的小巴鲁的企图。人猿泰山无疑是很想抱一抱这个小东西的。它的样子在泰山心里引起了一种奇异的渴望，他多么想去拥抱和亲近这个有趣的小猿崽。特别因为它是娣卡的巴鲁，而娣卡是年幼时泰山一度喜爱的朋友。

这会儿同格的叫声转移了泰山的注意力。原来同格满嘴的威胁声,现在已经变成了可怜的哀告。绳扣紧绑着同格的两腿,由于血液停止流动,它开始疼痛起来。有几个大猿在同格的附近很感兴趣地望着它的困境。它们都曾经吃过同格有力的拳头和有力的嘴巴的亏,如今看到同格疼痛的样子,不由得幸灾乐祸起来。

娣卡看到泰山又走回同格那里,于是也转身向树这面走来。它停在空地的中间,抱着它的巴鲁,带着疑惧的目光左顾右盼。娣卡以前觉得世界自由自在,随着小巴鲁的出现,它突然觉得到处都可能有伤害它的小巴鲁的敌人。它把泰山也看成是它的一个敌人，尽管不久以前他还是它最好的朋友。甚至可怜的努姆格——一个半瞎而且几乎牙齿全掉了，只能在已经腐烂倒地的树上寻蛀虫吃的老母猿，对娣卡来说也像是要喝小巴鲁血的老妖婆。

娣卡疑虑地看着眼前的这些敌人,其实它们不是敌人,而真正的敌人却正被它忽视。正在这时,空地对面一对怀着恶意的黄绿色的眼睛,从它身后一丛灌木背后正注视着这对母子。

肚子空空的希塔瞪着贪婪的眼睛看着娣卡和它的小崽,就像看着就要到口的美食一样。只是另外一些在附近的大猿们使它不能不有所顾忌。

啊!要是这头母猿和它的小崽再近一点有多好!只要敏捷地一跳,它就会扑到它们了,然后在大猿还来不及阻止它之前就衔走它的美味。它褐色的尾巴尖断断续续一下一下地摆动着,它的下巴差不多要紧贴到地面上，不时地吐出血红的舌头，露出黄牙。但所有这些娣卡却一点儿也没有注意到,其他的大猿也没有在跟前觅食和休息，当然在树上的泰山和别的大猿们更没有看见了。

听到公猿对同格的嘲讽声，泰山很快向上跳到它们中间去。其中有一个公猿蹭到同格的旁边，想抓住吊着的同格，把它拉到跟前咬他几口，以报不久以前被同格打伤之仇。泰山看到这一情况，十分生气，他最讨厌趁火打劫的事，而现在这个公猿正想这样做。正在这个公猿的毛手抓住同格的时候，泰山一声怒吼，跳到这个欺负同格的公猿所站的树枝旁，只一巴掌就把它打了下去。

这个公猿大吃一惊，而且被激怒了，发疯似的想抓住一根树枝免得跌到地面去。经过一番挣扎，它抓住了几英尺外的另一根树枝。在这里它终于能够爬起来了。接着它又向泰山的这个方向爬上来，想对泰山进行报复。可是，这会儿的泰山完全没有把心思放在它身上，他正教训同格，也不想有谁来打搅。他告诉同格它非常愚蠢，并且说明，人猿泰山的力气和本领要比同格和别的公猿都大得多。

也就在这时，正好有一个机会来证明泰山的这些话。原来那只大猿已经从下面爬了上来，泰山一看到它，立刻就从一个好脾气的、俏皮的年轻人，变成了个一边咆哮着、一边准备打斗的野蛮家伙。他毛发倒竖，也学着大猿那样翻起了嘴唇，露出了牙齿。他无需等待大猿来到身边，因为大猿的样子和声音已经引起泰山一股好战的敌意，这是毋庸置疑的。带着一声非人类的吼声，泰山跳起来直扑向来犯者的咽喉。

这一行动的迅猛和力量之大，使得大猿不得不向后跌去。他们几乎是相互抱着，穿过浓密的树叶，跌下了好几英尺。当一根大树枝最终把他们挡住时，泰山尖利的牙齿已经咬住了对手的脖颈。然后，大猿几乎是仰面朝天把泰山抱在胸前又向下跌去。只是经过树枝的挂来挂去，大猿终于松开了手。泰山在中途就抓住了一根树枝，及时稳住了自己。那只大猿就像一个大秤砣一样直向树下栽去。

泰山站在树上，向跌在树根旁的敌手看了一小会儿，然后挺起胸膛，攥起拳头，用足丹田力气昂头一声恐怖的长啸，就如大公猿每逢胜利时的做法一样。这时就连正准备从草丛中跳出来的希塔，听到这回荡在丛林中的啸声，也不安地左右向后挪动着身躯，好像随时准备逃跑一样。

“我是人猿泰山，”泰山夸耀地说，“大力猎手，大力斗士!在丛林里谁也没有泰山这样有力。”

然后，他就朝同格的方向走去。娣卡一直看着大树上发生的一切，它甚至把它的宝贝巴鲁放在空地的草上，向树下走去，以便对大树上发生的一切看得更清楚一些。在内心深处它还像以前那样尊重那个皮肤光滑的泰山吗？当它亲眼看到泰山的胜利时，它野性的心灵里会为此感到骄傲吗?这只有问娣卡自己了。

这时的希塔看到娣卡把小猿崽放到草地上，它的尾巴摆动得更加厉害了，就好像这种不停的摆动越快就越能鼓起它被人猿的长啸吓退了的勇气一样。人猿泰山的吼叫仍然使它心有余悸。

就在希塔准备进攻时，泰山到了同格旁边，爬上树顶拴草绳一头的地方，解开了扣子，把吊着的同格慢慢地放了下去，一直到它的手紧紧抓住了一根大树枝为止。

很快同格就站稳了，然后抖松了腿上的绳扣。在它气得发疯的心里根本就没有地方考虑感激人猿泰山。它想正是泰山才让它如此痛苦。它要报仇,只是现在它的两腿还麻木着,它的头也昏昏沉沉,所以只好把报仇的事留待以后再说了。

泰山正一面收起他的绳索，一面嘲讽同格没用的力气和头脑。娣卡也走到树下来朝上面望着。而这时的希塔却在灌木丛的后面蠕动着身体悄悄地向前挪动着。它的肚皮紧贴着地面,正在作着纵身跃出灌木丛的准备。用不了多久,它就会窜出去迅速冲向草地上的小巴鲁,一口叼起来,不等大猿来抢救,它就会逃走并结束小巴鲁的生命。

可就在这时,泰山偶然抬头向空地对面看了一眼,刹那间他脸上笑嘻嘻的神态和心满意足的样子陡然消失得无影无踪。他迅速而无声地跳下树来。娣卡看到他忽然间向自己走来,还以为是来追它和它的巴鲁呢!它立刻咆哮了一声,准备与他厮打,但是泰山却与它擦肩而过。当娣卡随着泰山走过的方向看去时,它明白了泰山悄悄地跳下来和飞快向空地跑去的原因，这时已经可以清清楚楚地看到希塔正缓缓地向草丛中的那个蠕动着的小东西走去。娣卡一看之下真是魂飞天外。它跟在泰山的后面向前跑去,惊恐地尖叫了一声并发出了警报。猎豹此时也看到了奔过来的泰山,它以为这个家伙是来抢夺猎物的,于是带着一声吼叫也抢了上来。

同格听到娣卡的警报,从树上蹒跚地爬了下来想帮助它。附近有几个公猿又咆哮又吼叫地也向空地围拢来，但他们离巴鲁都太远。这时只有泰山和猎豹在小巴鲁左右两方的距离差不多相等，所以他们在各自的位置上都停了下来，二者都露出的牙齿，发出咕噜的咆哮声。这是因为希塔害怕当它扑向巴鲁时，给泰山留下攻击的机会。同样泰山也怕当他弯身去抱小猿崽时，希塔会扑到他背上来。因此，双方就这样对峙了一会儿。而此时，娣卡却穿过空地跑了过来。只是它越走近猎豹，越显得谨慎迟缓起来。因为，即使是它的母爱，也无法完全克服对那个大猿天敌的恐惧天性。

同格在它的后面小心地走走停停，并不断地咆哮着。在它的后面也有几个大猿，大声地发出了可怖的挑战吼叫。此时，希塔的黄绿色的眼睛可怕地盯着泰山，而且掠过泰山向他后面那几个走来的喀却克族的大猿扫了一眼。它对局面的判断无疑是要它立刻逃跑，可是饥饿和就要到口的草地上的美食却使它留下来。它竟然不顾一切地向巴鲁探出了一只爪子，而这时人猿泰山却发出了一声低沉的吼叫向它扑去。

希塔也跳起来向泰山迎上去，爪子朝泰山的脸部抓来，想一下掀掉泰山的头颈，但是它却没有击中。泰山低头伏身从它的腹下躲了开去，却趁机拔出了猎刀紧握在手中。这是一把他并不知道的、已故父亲的遗物。

顷刻间，猎豹早已把巴鲁忘在脑后。它现在全付心思都在对付着泰山，一心想把这个对手在它的利爪下扯成碎条。它要把它的爪子插进人猿那光滑而柔软的皮肤中去。但是泰山早就和丛林中的利爪动物交过手。不久前他还和长着獠牙的大猿打斗过，而且没有受过伤。他知道他面临的危险，但是人猿泰山可从来没有在痛苦和死亡面前退缩过。

泰山从猎豹的身下躲过它的攻击以后，纵身从猎□的后面跳到它褐色的背上。他一口咬住了它的脖子,一只手扼住它的咽喉,另一只手把猎刀插进了它的身侧。此时的猎豹拼命地在草地上翻滚、咆哮,又抓又咬,以近似疯狂的努力拼命想甩脱它的对手,或者用它的利爪尖牙从他身上撕下一块什么东西。

当泰山走近猎豹的时候,娣卡趁机插了进来,抓起了它的小巴鲁。现在它已坐在一根高枝上,受不到任何伤害了,它把它的小猿崽紧紧地搂在她毛茸茸的怀里,眼睛一眨不眨地看着树下空地上的激战,并不断地呼叫同格和别的公猿去参加这一场混战。

就这样,公猿被不断地催促着来到这里,更加强了它们可怕的呼吼声。这时的猎豹只顾与泰山周旋,似乎什么也听不见了,最后终于把泰山从背上甩了下来。就在泰山准备再度纵身骑到猎豹的背上时,大腿却挨了猎豹一爪,伤口从臀部一直划到膝盖。

泰山伤口的样子和血腥味激怒了周围的公猿。其实泰山受伤同格确有一定的责任。它不久以前还怀着对泰山的一肚子怨气,最先来到空地上,却站在这一对混战的人和豹面前,瞪着他那双有红眼圈的小眼睛只顾看着他们。不知他它是对刚刚折磨他的泰山的处境幸灾乐祸,还是希望希塔的利齿咬进人猿泰山光滑的喉咙?或者它开始有点了解,正是泰山无私英勇,才冒着生命危险去抢救它和娣卡的巴鲁?难道“感恩”只是人类所独有的吗,低等动物根本没有这种情感?

随着泰山伤口鲜血的涌溅,同格到底对这些问题做出了它的回答。它用全身的力气和重量直向猎豹扑去,一面发出可怖的咆哮。它长长的獠牙直插进猎豹长着白毛的喉咙，有力的胳膊连打带抓地落在猎豹柔软的毛皮上，由于不断地抓挠，一团团被拔下来的软毛在丛林的微风中飘散。

同格就像榜样一样，使其他的公猿也一齐围了上来，在猎豹的身上乱咬一气。此时丛林里充满了野性的喧闹和战斗的呼叫。

啊!这真是一幅奇特惊人的景象。这是一场充满野性的大猿和人猿泰山与它们世代的敌人猎豹之间的生死之战!

娣卡在发狂的激动中，不禁在树枝上乱跳起来。它一会儿催促同格上前，一会儿招呼喀却克族的公猿上去帮忙。同时又和另外一些母猿桑卡、麦姆格和卡玛一齐大声尖叫和呼喊着助威。它们的大吵大闹声震天动地，不断在丛林中回响。

猎豹乱抓乱踢，乱撕乱咬，不断在大猿和人猿泰山的攻击下挣扎着。然而它毕竟寡不敌众，就连雄狮也会对好几个大猿一块进攻感到胆怯。因为这会儿在半里外丛林中酣睡的一头雄狮被这里的喧闹声惊醒了。当它听到如此的一番吼叫，也不由得爬起来，躲进丛林的远处去了。

这时浑身血污和伤痕的希塔，终于停止了勇猛凶恶、力大无比的挣扎。它变得僵硬了，不时抽搐一下身体，最后静了下来。只是公猿的撕扯还在继续，直到把猎豹曾经美丽的毛皮变成了一具丑陋的尸衣。最后大猿也停止了它们已经疲乏的战斗。这时，从猎豹血污的身体上，陡然跳起来一个同样满身是血的人猿。他把一只脚踏在猎豹的尸体上，向热带蓝天昂起他染满血迹的脸，和往常情况下一样，发出一声公猿的可怖的胜利吼声。接着所有参加这次战斗的公猿都学着他的样子，一个一个地也都做出了同样表示胜利的示威。

娣卡这时正悄悄地向泰山走来。他看到它抱在胸前的那个小东西,于是伸出手想把它接过来。他预料这次娣卡也许又会向他露出獠牙,但相反它放心地把小巴鲁交到泰山的手里,而且走近他的身边,用舌头舔着他可怕的伤口。

那么现在的同格呢?它在战斗中只受了点小伤,如今也来到泰山身边蹲下,看着泰山和它的小巴鲁逗着玩。而且最后它也弯下身来,帮着娣卡去舔净和平复泰山的伤口。

四

泰山的上帝

海边小屋里，人猿泰山在他已故父亲留下的书中，发现了许多让他的小脑瓜迷惑不解的东西。但是通过艰苦的努力以及坚持不懈的耐心，在没人帮助的情形下，他到底发现了那些印在纸上胡乱爬行的黑色小甲虫的用处。他已经知道它们的多种结合恰巧形成了一种无声的语言。这是另外一种陌生的话语，而且说了许多他——一个小人猿无法明白的事物。它们激起了他的新奇感和想象力，使他的灵魂里充满了强烈的求知渴望。

一本词典是一个神奇的信息仓库。泰山在经过了几年不倦的努力，才弄明白它的用处和使用方法。泰山学会了通过它去玩一些很有趣的游戏，通过词义的迷宫可以发现许多新思路。

这里当然有许多字引起他更大的兴趣，由于这样那样的理由它们激起了他丰富的想象力。例如有些词的含义，他就很难掌握，特别是God（上帝）这个词。泰山第一次遇到它时，就发现它很短，而且是由一个大G甲虫开头的。泰山具有原始人的一些思维，他喜欢把那些甲虫分成雄性和雌性的。这样一来大甲虫就是雄性而小甲虫就成了雌性的了。另一个吸引他注意这个词的原因是，它包括许多层意思——最神圣的创造者和宇宙的管理者等等。这当然是个很重要的词了!经过了好几个月的思考和探索，他仍然不甚了然。

然而泰山并没有认为他在知识禁区的奇妙探索中浪费了时间，因为每一个新词和新义都把他领进了一个陌生的天地，它们与许多熟悉的旧面孔一起给他的知识宝库增加了新的收藏。

至于God的含义他仍然有一些疑问。他曾一度认为God就是蛮格尼人的大力酋长。如果真是这样的话，那么这个God肯定比他——泰山——更有力了。这是他人猿泰山——丛林中无敌的大力者所不愿承认的。

但是这里所有的书中都没有一幅有关God的画像。不过，他可以确信God是一位伟大的、全能的个体，因为他看见过书里有向他朝拜的图画，只是没有关于他的画像。最后，他决心去找他。

他一开始就去问老母猿姆巴，因为它很老，而且一生中看见过好多事物。但是它不过是一头老猿，它只能想起一些日常琐事。例如小公猿把一只有毒刺的小甲虫当成食物啦，或者对孟格村的黑人有过印象啦等等。当然，它也许看见过许多可以证明上帝存在的事物，但是，它对此却一点也不理解。

一心专注于捉跳蚤的努姆格听到泰山的问题后，放下它手中的事说，让老天打雷、下雨和刮风的力量都是来自戈罗(猿语，月亮)的。它说它之所以这样说，是因为跳登登舞总是在月光下。这个理由虽然姆巴和努姆格觉得很有道理，但泰山却并不满意。不过这到底给了他一条继续调查的新路线。他要去调查月亮了。

这天晚上，泰山爬上丛林里一棵大树的尖顶。这天正是满月，月亮又圆又大，光华普照。人猿爬上了一根摇晃着的小树枝，抬起了古铜色的面孔对着高挂在天上光亮的圆月。这时他无疑是达到了他能达到的最高点，可让他惊奇的是现在他离月亮的距离看起来竟和他在地上看到的一样远。他想这也许是月亮想逃走。

“来呀，戈罗!”于是他高喊道，“人猿泰山并不想伤害你!”

可是月亮仍然是高高地挂在天上，对他睬也不睬。

“告诉我，”泰山继续喊道，“你是那个能发出那种巨大声音和光亮闪电，在天又冷又暗的时候产生狂风和暴雨的王吗?告诉我，戈罗!你是 God 吗?”

当然泰山是不能像你我这样正确地发出 God 这个词的读音的。他不会说英语，但是他对字母表上的字母都有自己发明的发音。他和大猿不同，他不会满足于那些东西的图样，他更想用一些词去描绘它们。所以，他总是把每一个词的字母都读出来，而且就像那些原始语言一样，非要在每一个字母或词前都加上性别的前缀。

这样一来，泰山就有了一个他自己发明的 God 的读音。在猿语中雄的前缀是 bu，雌的前缀是 mu，字母 G 泰山读作 la，o 他读作 tu，而 d 他读作为 mo。这样一来英文的 God 就被他读成 Bu-la-mu-tu-mu-mo，就像英语里的 he-g-she-o-she-d。

同样他也按种拼读方法拼读自己的名字。泰山本来是源于猿语“tar”和“zan”，也就是白皮肤的意思。这是他的养母大母猿卡拉给他起的名字。当他想用英文把他的名字写下来时，他在字典里怎么也找不到表示 white(白)和 skin(皮肤)意思的字。可是在一幅小白孩子的图画下他找到了 boy 的字样。因此，他就把自己的名字按他的拼读法读成 bumude-mutomuro，或者说等于英语读音的 he-boy。

照着泰山的这种奇怪的拼法，去读英文可真要把人麻烦死了。所以我们在将来也像过去一样，坚持按我们更熟悉的学校文法课本的拼读法读我们的英文，让泰山照他自己的拼法去读他的英文吧!例如，按泰山的读法我们就得记住，do 就是 b，而 tu 就是 o，ro 是 y，而且还要在大写字母前加上猿语表示雄性的 bu，在小写字母前加上表示雌性的 mu。这样的拼读法可真是应了一句俗语“费力不讨好”。但这又有什么办法呢?这就像有些语言非要在名词前加上表示阳性或阴性的冠词一样。泰山这时的思维就是这样机械。

当泰山对着月亮空喊了一阵而得不到回答时，他开始训斥起它来。当它仍然毫无回应时，泰山不由得一阵大怒。他像一头公猿一样，鼓起胸膛，露出牙齿，对着这颗美丽的行星发起威来。

“你不是 Bulamutumumo(不拉姆吐姆木，这也就是泰山发明的 God 的读法)。你不是丛林居民们的王，你不是泰山这样的无敌战士，无敌猎手。这里没有比泰山更伟大的了。你要是‘不拉姆吐姆木’泰山就能杀了你。下来呀，戈罗!胆小鬼，不和泰山比试一下，泰山能杀了你，不信吗?泰山是伟大的杀手。”

但是月亮对人猿泰山的吹牛理也不理。当有一块乌云遮住了月亮的脸时，泰山不由得洋洋得意地认为它到底害怕了，不得不把自己藏了起来。因此他就爬下树来，高兴得叫醒了努姆格，告诉它泰山是如何伟大，竟然吓跑了天上的戈罗。泰山说得津津有味，对月亮他用了“他”来称呼。因为，在猿的简单的话语里，所有使他们畏惧的事物，他们说到时都用“他”来表示。

努姆格一点儿也没有受到感动,因为它太想睡了。它让泰山快走,好让它继续休息。

“可是我到哪里去找到God?”泰山坚持问道,“你的年纪最老,如果真有个God,你是一定看见过他的。他是个什么样子?他住在哪儿?”

“那我就是God。”努姆格被逼得没有办法,这样说道,“现在睡觉去吧!别再来搅我了。”

泰山盯着努姆格看了好一会儿。他秀美的脑袋向肩膀里缩了一下,对着努姆格龇了龇牙,带着一声咆哮向努姆格扑去,抓住它的肩膀就在上面咬了一口,痛得努姆格哇哇直叫。接着泰山又抓着它的肩膀把她摇了几下,对它说:“你是God吗?”

努姆格哭丧着脸说:“不啦!我只是个可怜的老母猿。去问那些戈曼更(猿语,黑人)吧!他们跟你一样皮肤上是光光的。去问他们God在哪儿。他们跟你一样身上不长毛发,也许就跟你一样聪明,他们大概能回答你的问题。”

泰山放开努姆格,转身走开了。去问一问黑人,这个建议颇有点儿吸引他。虽然他和孟格村的人总是对着干,但他至少可以侦察一下他憎恶的这些人,看看他们是否跟God有交往。

因此,泰山动身穿过树林的枝叶间,向黑人的村子荡去。这时他脑子里一心想着会在那里找到至高无上的全能创造者,心中真是兴奋不已。但是,他一面走着,一面还是在心里盘算着他的猎刀、他带的箭的数目、新换的弓弦是不是够紧,还有他从孟格村弄来的投枪够不够重等等。

如果他真的遇见了God,他是有准备的。但是没有人能告诉他，一根草绳、一支投枪或几支毒箭是否真能对付得了一个并没见过的敌手。不过泰山非常自信，如果 God 真想和他动手的话，他未必就输给他。可是，他还有许许多多的问题想问这位 God，所以他不希望他是一位好斗的对手。不过，他的生活经验告诉他，任何生物只要有攻击和防御的能力，恰好又处于某种状态下，都会激发他们的攻击欲望。

当泰山来到孟格村时，天已经黑下来。周围一片宁静，他找到了他惯常蹲伏在栅栏上面那棵大树上的枝条。他看到下面不远处的村街上有许多男人和女人。男人都在脸上涂了可憎的色彩，而且比平时更可怕。在他们中间活动着一个怪模怪样的人形。他是一个屁股后夹着一条长尾巴的男人，可是他的头却是一个有着两只角的水牛头。他的尾巴直垂到脚后跟，一只手里拿着一条斑马的尾巴，另一只手里却拿着几支短箭。

泰山看到这景象不免大吃一惊，难道这是一个见到 God 的机会吗?这确实是一个非人非兽的家伙。如果他不是宇宙的创造者，又会是什么呢?他看到当这个家伙走近黑人时，无论男女都向他顶礼膜拜，就好像他们对他的魔力怀着很大的恐惧一样。

泰山现在看到这个家伙正在讲着什么，而所有的听众都鸦雀无声地听着。泰山这会儿肯定，要不是 God 绝不会在这些黑人心中引起如此大的敬畏，而且他用不着任何武器就使他们闭口无言。泰山一向对这些黑人喋喋不休的毛病怀着蔑视的心理。他们就像小猴子一样，平时叽叽喳喳，一见敌人就逃得无影无踪。喀却克族的大猿平时很少说话，但遇到刺激总是奋勇上前。努玛从来都是沉默寡言，可却是最为凶猛的丛林之王。

今晚泰山真是大开眼界，但他不懂他们这样做是为了什么。正是因为莫名其妙，他才认为这正是他们在与God打交道。他看见年轻人接受了他们的第一支战斗标枪。这个仪式被那位巫师弄得稀奇古怪，而且成功地把它表演得既神秘又可怕。

泰山怀着极大的兴趣观看这三个人从各自的胳膊上弄出一个血口子和孟格酋长换血的仪式。然后神巫又围着大锅乱跳乱舞，在那上面比划了一些魔术的手法，最后把斑马尾在大锅里的水中蘸了几下，把这尾巴上的液体洒向三个青年的额头和胸口。泰山不知道，这就是神巫为使三个新的斗士勇武起来的一种法术。要是他知道的话，或许他也会偷点锅里的液体试一试呢!

泰山对这一切感到既新奇又有趣。不只是由于他所看到的一切，而且似乎也有一种神秘的感觉感染了他，就像那些在场的黑人一样，他也被这种奇特的仪式弄得如醉似痴。

泰山越是看得久越是相信，他所遇到的真是那个God了。因此他决定要去和这个神巫交谈一下，看他是不是就是那个God。泰山是一打定主意就要去做的人，所以他就要开始行动了。首先需要冷静一下自己被这哑剧式的仪式弄得紧张起来的神经。可就在这时，在栅栏外面的不远处出现了一声狮吼。突然之间，那些喧闹惊叹的黑人都变得寂静下来。他们对这种可怖的声音太熟悉了。那个神巫也僵直地呆在了原来的地方。也许他这会儿脑子里正在想着，怎样利用这一独特的机会，来做出对他有利的解说。

今天晚上这位神巫真是大有收获，他不但完成了使三个青年人成为羽翼丰满的成年战士的仪式，而且还从对他又恐惧又敬畏的村民那里得到了许多奉赠，像谷子，念珠以及一段铜丝等等。

就在狮子的吼叫声回响在丛林里时，一个妇女恐惧的尖叫声使村民的神经越发绷紧起来。泰山正好选择了这一时刻从树上跳了下来，一路轻快地走在村里的街道上，毫无畏惧地站在与他有血仇的黑人中间。泰山比那些黑武士还要高出一个头，身体直挺挺地像箭那样直，身上的肌肉像狮子那样结实而粗壮。

泰山径直看着那个神巫，许多双眼睛也在看着他，有那么一会儿谁都没有作声，恐惧已经使黑人们不知所措。最后还是泰山一甩头，径直走向那个头戴水牛头面具的神巫面前。

这会儿那些黑人的神经再也支持不下去了，因为好几个月以来这个白色的丛林之神就不断地光临他们的村子。他们的毒箭会突然丢失；他们的武士会莫名其妙地在丛林小路上被杀，而他们的尸体会忽然在黑夜里从天上被丢到村里的小街上。有一两个黑人有幸偶尔看见过一眼这个丛林里的白色神人，通过他们神乎其神的描述，村人对泰山产生了一种极为恐惧的印象。现在这个给黑人村子带来灾难的神人居然来到了他们面前。如果是白天他们或许还有胆子去攻击他，而现在是在黑夜的笼罩下，尤其在他们的神经已经被神巫和狮吼弄得惊恐万状之后。所以当其中之一大叫一声转身逃跑时，大家也都作鸟兽散飞奔着逃向他们的小屋。最后只剩下神巫还硬撑在那里。他还相信他祖传的骗人术，而且如果他也逃跑了，谁还会再相信他这一套勾当？为了他的职业，他还想冒险一试。

“你是 God 吗?”泰山问道。

神巫听不懂泰山讲的是什么。他只是在这位白色的丛林之神面前用力高高地跳了两下，然后转了两三圈，把两条腿大大地叉开，弯腰低头，用水牛头上的两只角对着泰山，做出水牛要发起攻击的样子。他就这样停了一会儿，最后发出一声长长的“boo—”的声音。他的意图很明显，是要把泰山吓退，结果却什么效果也没有。

这时泰山却直向神巫走去，好像神巫的法力对他没一丝用处。他一心要测试一下 God 的力量。神巫看到自己的法力对泰山毫无作用，于是又寄希望于手中的两件法宝。神巫把斑马尾和另一只手中的神箭在泰山面前晃了晃，口中念念有词。也许锅里的药物效力太低，他们两人的距离越来越近。神巫拼命装腔作势，用斑马尾在四周画了一个大圈。

“不要踏进这个圈里来，我的药可是厉害。”他大喊着说，“你要是走近一步，立刻就会倒地死亡。我妈是一位女巫，我爸是一条大蟒，我有狮子的心脏和豹子的胆。我把小孩当早饭吃。丛林里的妖魔都是我的奴仆。我是世上最有力量的神巫。我什么也不怕，我永远也不死。我……我……”当泰山满不在乎地跨过他画的那条死亡线以后，他再也说不下去了，只好转身撒腿就跑。

当神巫逃跑时，泰山忍不住生起气来。神巫刚才说的什么他当然是不懂的。但是神巫乱比划一阵乱叫一阵之后，却转身就跑，让泰山觉得这太不像一位 God 的样子了，至少和泰山想象中的那个全能的 God 相差太远。

“回来!”泰山高喊着说，“回来，你这个 God，我不会伤害你。”但是，神巫这会儿跑带跳地跳过一个小火堆的灰烬，直奔他的小屋而去。因为受着恐惧的刺激，神巫跑得飞快。但是比他跑得更快的是泰山，他以麋鹿的速度很快就追了上来。

就在神巫小屋的门口，泰山赶上了他。一只有力的大手正好抓住了神巫的肩膀，把他拉了回来。同时泰山另一只手一下子揭下了假水牛头的伪装。他原来不过是一个光头的黑人。此时的神巫吓得转身就向小屋的黑暗处躲去。

啊!这就是泰山原来所想象的God。此时的泰山真是无名火起，他咆哮了一声就追进了神巫刚刚躲入的小屋里去。在一个黑暗的角落里，他终于找到了那个浑身发抖的家伙，并把他从黑暗中拉出来，一直拉到明亮的月光之下。

“那么你就是God啦!”泰山大声喊着说。

“你要是God，那么泰山就比你伟大得多。”泰山也不管对方懂不懂。

“我就是泰山。”他对着那个黑人的耳朵喊着，“在整个丛林里，以及在大河、小河上，在滚滚的波涛上，谁也没有泰山伟大不是吗?泰山比你们孟格村的人伟大，比所有的大猿也伟大。他能用自己的手杀死努玛、希塔，没有谁比泰山更厉害的了。所以，泰山就是God!明白吗?”说着，他猛的一扭那个黑人的脖子，疼痛使神巫尖声大叫起来，跌倒在地昏了过去。

此时，泰山一脚踏在昏死过去的黑人神巫的脖子上，然后昂首面向着月亮，发出了大公猿胜利时常有的一声长啸。那尖利悠长的声音久久在丛林里回荡。他弯腰从那个失去知觉的神巫手中夺下了那根斑马尾巴，头也不回地迈着大步穿过村街向前走去。

在黑暗的小屋群里，有那么几双眼睛在偷偷地看着外面的情景。其中之一就是孟格酋长。尽管当泰山长啸时，别的偷看者吓得都伏在地上，抱住了头再也不敢向外张望，只有他把神巫门前的事看了个一清二楚。他是一个聪明的统治者，随着年纪的增长，他对神巫的那套法术越发半信半疑。但是作为一个酋长，他清楚地知道神巫的法术大大有助于他的统治，所以，他也总是利用村民对迷信的恐惧去达到自己的目的。他也神巫共享着那些药物和法术的好处。

现在，孟格必须要做点什么去抵消那个丛林之神泰山的影响，以恢复村民对他的敬畏。否则，刚才神巫那倒霉的场面和狼狈相将使村民永远对他们丧失信心。

孟格拿起了他的大矛，悄悄地爬出了小屋，跟在人猿泰山的后面。泰山这时正沿着村路从容地走下去，就好像他的周围不是仇敌，而是他友好的喀却克族大猿似的。

看到泰山漠不关心周围情形的样子，孟格狡猾而小心地跟在他的后面，尽量不弄出一点儿声音来。现在即使麋鹿的耳朵，也不大会觉察出孟格跟在后面。可是孟格毕竟不是麋鹿，他认为只要不出声，他所跟踪的白神就不会觉察。

孟格越来越近地跟在人猿泰山的后面。现在，他已抓紧了他的长矛，把它高高地举过肩头，转眼间孟格就有可能会和他的村民一道，摆脱前面这个可怕的丛林之神的威胁了。他一定要一枪投准，而且要使出全身的力气，用他手中这支多年使用惯了的武器，一劳永逸地结束前面这个人的生命。孟格的打算虽然看起来万无一失，可是他只知道他跟踪的是一个人，但是他不知道，这个人有着动物一般敏锐的知觉。孟格在追捕时做梦也不会想到的就是风向！

现在泰山正是顺风而行，所以很快泰山就嗅到了身后有一个追踪者。即使是在那个充满了恶臭的村子,泰山也能清楚地分辨出不同的气味来自何方。他知道这个追他的人已经很近了。而且他的判断清楚地告诉他,这个追踪他的人不怀好意。当孟格来到他投枪所及的范围,正要举枪投掷时,泰山突然转过身来,使得孟格在慌乱中竟失手把长矛匆促投了出去。泰山一低头,长矛刚好从泰山的头上飞了过去。接着泰山一窜就到了孟格的面前。这大出孟格意外,他匆忙转身向最近的黑暗中的小屋跑去,一面跑一面高叫他的武士快出来对付这个白色的怪人。

孟格当然是拼命地跑着呼喊求援，可是泰山善于奔跑的双腿,已经连窜带跳地大步追了上来,他的速度就像一只狩猎中的狮子,而且一面跑一面发出咆哮声。孟格听得血都冷了,就像已经感觉到雄狮头部的鬃毛触到了他的头顶，似乎有一股冰冷的感觉直穿他的脊梁,仿佛死神的指头已经摸到他背上。

这时,其他躲在小屋中的黑人紧张地抓着投枪,脸上画着狰狞的花纹,他们当然听见了酋长的呼救声。要是来的是雄狮或者是他们的同类,他们都敢冲上前去搭救他们的头领。可是现在丛林里这个白色的神,早已使他们吓得心惊胆战。他的咆哮声,不像是从人类的胸膛里发出来的。孟格的武士们现在相信只有他们的小屋才是最安全的地方。也就在他们迟疑不前的时刻,白色的神人早已扑到了他们老酋长的背上。

老孟格恐惧地大叫一声跌倒在地。他太害怕了,连一点抵抗的想法都没有,只是躺在他敌手的身下,一个劲儿恐惧地呼喊。泰山这时半趴了起来,一只腿跪在他的背上。然后,他把孟格翻转过来,抽出了他的猎刀,对准了他的喉咙。正像当年他的祖先约翰·克莱顿·格雷斯托克勋爵在英国用它对付敌人一样，现在他把猎刀架到了孟格的脖子上。这个老头子吓得哭泣起来，一个劲儿地求泰山饶命，可惜泰山一点儿也听不懂他说的是什么。

这也是头一次，人猿泰山离得这么近地观察这个酋长。他发现他原来是一个老头子，一个好老的家伙，干瘦的脖子，满脸的皱纹，一张干瘦得像羊皮纸一样的面孔，就像泰山很熟悉的某种小猴子。他的眼里充满了恐惧，一种泰山从来没有在任何其他动物的眼睛里见过的一种表情，或者是泰山从别的动物那里无法看见的一种乞求怜悯的表情。

泰山心里产生的某种感情使他手中的刀停在那里。连他自己也觉得奇怪，为什么他要杀的人就在面前，而他会犹豫不前。他以前从来没有这样迟疑过。在他的眼里这个老头子好像枯萎成了一只黑袋子里装的一包骨头。在泰山高傲的眼里他是那样的可怜无助，在人猿泰山的内心里，却引起了对敌手的一种崭新的感情——怜悯，怜悯一个可怜的被吓坏了的老头子。

泰山终于站起来，转身走掉了，把孟格——那个莫名其妙的酋长——一点也没有损伤地留在了那里。他昂首挺胸地大步穿过小村，跳上栅栏顶上的树荫，顷刻间就从村人的视野里消失了。

泰山一路向大猿经常出没的地方走去，一面不停地想着今天的怪事。他不知道是什么力量使他的手停下来没有去杀死孟格。似乎有什么比他自己更有力的人，在命令他宽恕那个孟格老头，可他无法想象有什么人或兽能指挥他去做什么或不做什么。一直到很晚，他在喀却克族聚居处找到一个可以在树上安卧的地方，脑子里还在不停地想着这个无法解答的问题，直至慢慢睡去。

第二天，当他一觉醒来时，太阳已经老高了。大猿们都在忙着寻找食物。泰山在树上懒洋洋地看着他们在肥土中搜寻甲虫和毛虫，或者爬到树上搜寻鸟巢里的小鸟或鸟蛋。在他的头上正有一朵兰花向阳怒放，它的花瓣正给泰山的头上带来一片阴凉。泰山也许上千次地经历过这种情况，但这一次却不知为什么特别引起了他的兴趣。因为在此以前，他认为事情本该如此，没有什么可新奇的。

什么使得花儿含苞欲放?又是什么使得它们争奇斗艳?这一切都是为什么?狮子来自何处?第一棵树又是谁种下的?月亮从什么地方来到这个世界上，把柔和的光芒投放到黑暗可怖的丛林中?而太阳呢?又是从哪里天天来到这儿?

为什么丛林里不全都只有树木?还有许多别的东西?为什么泰山和同格不同?而同格又和巴拉不同?为什么巴拉是巴拉，希塔是希塔，布吐又是布吐呢?那么它们又是从哪儿，怎么样来的呢?还有这些千变万化、千奇百怪的花儿、树木和小虫等等，丛林中的生物是谁创造的?

一大堆奇怪的思想突然在泰山的脑子里泛滥开来。它们都是随着字典里的God这个字派生出来的。还有就是接着出现的Creat(创造)这个字，它的意思是“使其存在，使形成……”

正当泰山将要领悟到什么奥秘时，远处传来的一阵哭喊声，使他从冥思苦想中回到现实中来。这哭喊来自离他正躺在上面的大树枝不太远的地方，是一个小巴鲁的哭喊声。泰山很快就分辨出，这是娣卡的小崽尕赞的声音(大家叫它尕赞，是因为这个小崽的头发是红色的，而在猿语里尕赞就是红头的意思)。

泰山沿着弯弯曲曲的树枝，从一棵树荡向另一棵树，在树林的高层飞奔而来。这时哭喊的声音已听得清清楚楚，而且振耳欲聋，它促使人猿加快速度如飞一般直奔那里。就在他前面，他清楚地听到还有一个母猿尖利的咆哮声。这是娣卡的呼叫声，看来那里一定发生了什么危难。泰山可以分辨出那声音中混合着恐怖和愤怒。这时，从四面八方都传来了喀却克族大猿对小巴鲁和它妈妈求救的回应声。而且，当它们向出事地点奔来时，它们的咆哮声几乎是在整个丛林里可怕地回荡着。

当然泰山要比他身体笨重的伙伴们跑得快捷得多，早把它们远远地甩在了后面。他头一个来到了出事现场，所看见的景象却让他倒抽了一口冷气。因为，他看到这一次的祸首竟是丛林里最可憎和令人厌恶的家伙!它就是缠绕在一棵大树上的一条希斯塔。它那长长的黏滑的身体正蜷成一大团，在它那足以致死的怀抱里，正包着娣卡的小巴鲁尕赞。真的，在丛林里所有的生物中，还没有一个能像希斯塔这样在泰山的内心引起一种可以称为恐怖的感觉。大猿一样对这种可憎的大爬虫怀着恐惧，甚至比对狮子和猎豹更甚。它们希望远远地离开蟒蛇。

泰山知道娣卡也最害怕希斯塔这一行动无声的可憎的敌手。但是娣卡的行动使他无比吃惊，因为就在这时，母猿竟向那堆带着发光鳞片的蜷曲身体扑了过去。当然它也一下子就像它的小巴鲁那样被卷了进去。不过，这会儿它丝毫也没有想挣扎逃跑的意思，相反却在努力把那蜿蜒蜷曲的身体从它嚎哭的小巴鲁身上撕开，尽管这种努力收效甚微。

娣卡对蛇的恐惧，泰山太了解了。所以现在面对眼前的情景,他几乎有点不相信自己的眼睛,特别是当他亲眼看见娣卡为了救自己的孩子,竟是那样不顾一切地自愿闯进死神的怀抱。他对现在的情景感到惊叹,就是他自己也是最讨厌蟒蛇的。也许是多少代文明进步的遗传,使他对娣卡的英勇精神有所理解。所以,泰山此刻竟毫不迟疑地向希斯塔冲了上去,就像扑食一头麋鹿那样迅速和敏捷。即便如此,大蟒蛇仍然在泰山跳进它的怀抱的一刻把他也卷了进去。

大蟒蛇一面缠绕在树上,一面毫不费力地卷住了三个身体,而且还伸过头来,张开大口要把他们吞食掉。泰山立刻抽出他的猎刀,迅速插进了蟒蛇的身体。但是仅这一处创伤对大蟒蛇来说是无关紧要的。甚至可能在泰山致敌手于死命之前,就被紧紧卷成一团的大蟒躯体挤死。不过泰山绝不是为了逃脱自己的性命才来拼搏的,他要救出娣卡和它的小巴鲁。

蟒蛇的大口就在他们的头上盘旋回转。它不但能一口吞下一只野兔,而且还能吞食掉一头带角的公羊,所以也会把它怀中卷着的三个身体咬死吞食掉。现在它正把注意力转向人猿泰山。而这时泰山却尽力用一只手支撑住它的颈部,这是大蟒全身最细的部分,恰巧是泰山的手还能握住的地方。说时迟那时快,泰山用另一只手握着猎刀,拼尽全力向蟒蛇的头部刺去。猎刀直插进了它的小脑袋,从下颚穿了出去,深到几乎盖没了刀柄。

蟒蛇一阵抽搐,然后就松弛下来,再抽搐了一下,用它的尾巴拼命地扫来扫去。就在这时,泰山迅速拉起娣卡和它的小巴鲁挣脱了蟒蛇的怀抱。尽管大蟒蛇这时已经丧失了意志和知觉,但泰山知道,即使碰上它扫来滚去垂死的躯体也有性命之忧。所以，这时泰山一手拉住娣卡，一手抱着它的小巴鲁纵身从大树上跳到地上，然后把巴鲁交到娣卡手里，推开了它们母子。

大蟒还在搜寻它的敌人，它的尾巴还在扫来扫去，它翻滚着的又粗又长的身体，随时有砸在泰山身上的可能。但是泰山灵敏地从它扭动摔打的身体所能达到的范围内成功地跳了出去，放心地看着蟒蛇逐渐无力地慢慢死去。

这时，附近已围了一大圈大猿在观看这场战斗。当泰山终于脱离了危险以后，它们却都无声地走开，又从事它们原来的事情去了。娣卡也跟上它们带着自己的巴鲁走了开去，似乎忘记了刚才的一场惊险，又去搜寻在此不久，曾惊喜地发现过的一窝隐藏得精巧的鸟蛋去了。

泰山也一样对这场恶战不觉得太兴奋，只看了一眼那具仍在无力抽搐的希斯塔的躯体，就向部族经常在那里喝水的小水塘走去。奇怪的是，他并没有像往常一样踏在希斯塔的尸体上发出胜利的吼叫。为什么?连他自己也说不清，也许他觉得希斯塔并不是一个动物。蟒蛇似乎与丛林里其他的动物有些不同，泰山只觉得对它又讨厌又害怕。

泰山在水塘里喝足了水，就伸开四肢懒散地躺在树荫下松软的草地上。他的思想又回到了刚才与希斯塔的那场战斗上，娣卡为什么竟不顾死活地跳进了大蟒缠绕的躯体中去?当然，他也奇怪自己为什么也这样做，娣卡并不是他的，连它的小巴鲁也不是。它们都是同格的，何况希斯塔也不是喀却克族的食物。那么他又是为了什么?泰山实在找不出这样做的理由。可是事情却就像是他完全出于自愿地那样发生了!它们多少就像他前一天晚上放掉那个黑老人一样,没有任何道理地发生了。

是什么原因使他不由自主地做了这样一些事？一定是有什么比他更有力的什么人,在暗中指使他适时地去做这些事!“全能的”!对!书上的小甲虫就是这么说的:“全能的 God!”一定是 God 让我做这些事的,我是不由自主的!大概也是 God 让娣卡向希斯塔冲了过去,平时它总是老远就躲开了它。那么也是这个 God,让我从老黑人的脖子上把猎刀拿开啦!God 完成了奇迹，因为他是“全能的”。我看不见他,但是我知道一定是 God 让我做这些事。那绝不是孟格人,不是黑人所能让我做的事。

那么花儿为什么开?啊!现在就都有了解释。花儿、树木、月亮、太阳等等,一切丛林里活的生物,它们都是由 God 造出来的。而什么是 God?他像什么?对此泰山竟怎么也想象不出来。他不杀可怜的、没抵抗力的老孟格的好行为;娣卡不顾生死地冲向蟒蛇的对巴鲁的爱;使他几乎陷入危境的对娣卡的救援,这都是来自那个 God 的意志吧?是的,正是这个 God,创造了繁茂的树木和美丽的花朵，创造了一切生物，并给它们安排了它们应得的食物,以便生存下去。正是他创造了希塔,并给它披上了美丽的外衣,创造了努玛,给它配上了雄壮的披满鬃毛的大脑袋,也还是他创造了可爱而温和的巴拉。

是的!泰山终于找到了 God,而且花了很长的时间,把一切自然界美好而合理的事物都归功于他发现的这个 God。但是,这里却有一点很不和谐的事,使他百思不解。那就是为什么这个 God 偏偏创造了这么一个讨厌的希斯塔?

那么希斯塔是谁创造的?它来自何处?

五
泰山和小黑孩

人猿泰山坐在一棵大树下正在编一条新的草绳。在他身旁，放着被猎豹的利爪和尖牙弄成好几段的旧草绳。它的长度大约只剩下了不到原来的一小半了。那有绳套的一半，早就被愤怒的猎豹挂在脖子上带走了。被扯断的绳头还被猎豹在矮灌木丛中拖来拖去好半天。

泰山想起猎豹愤怒的样子，想起它从缠绞的绳套中挣脱和发了疯的吼叫，就不由得微笑起来。它是那样的愤怒、恐惧和无能为力。一想起猎豹当时面对一根绳子的狼狈相，泰山就有一种满足感，而且希望有一天他更牢固的绳子编成以后，看这些凶狠的家伙怎样对付它。它将是一根更牢固更粗壮的绳索，是泰山以前从没有编过的。他为这种想法感到满意，他想象到时努玛啦，希塔啦，可能是什么样子。他对他的喀却克部族能安详地在他周围的空地上觅食，而不用为安全担心，也同样感到满足。

这会儿大猿似乎毫无忧虑，也许它们中有的会为不久以前的什么事偶然感到不快。不过总的说来，它们对于寻觅食物、填饱肚子有一种天然的兽性的满足。吃饱了然后就睡觉，这就是它们的生活。它们对此感到满足，也像我们对自己的生活感到满足一样，泰山也同样如此。也许丛林里的动物比人更容易得到满足。因为,它们生来就没有人那么多需求,无须为忙碌的生活东奔西走,除了吃东西以外没有更多的要求,也没有什么必要去破坏老天为它们设下的生存准则。所以没有什么能比仅仅完成简单生存需求更容易得到满足的了。

就在这时,成长中的小猿正在发展它们向上蹿跳的本领,这当然对它们尚待成熟的肌肉和没有试过的獠牙是十分有利的。这样在它们年轻的成长期遇到什么危害时，他们就可以一下子蹿到上一层的树枝上去。尕赞就在泰山编绳子的树下约十五到二十英尺的地方蹿来跳去。它不时地跳上树枝,在那里蹲一小会儿,对自己居然有这样的成绩而感到满足,然后又爬下树来从地上再做一次。它毕竟是个小猿,许多事物都让它分心,一个小甲虫、一只毛虫、甚至一只小田鼠等等。这些东西都让它中断自己的训练,跑去追捕它们。毛虫总是跑不掉的,甲虫也还能被它追上,田鼠可就说不准啦!

这会儿尕赞终于发现了泰山正在编制的绳索头儿。因为它太像一个有生气的橡皮球啦!所以它用一只小手抓住它蹦蹦跳跳地跑开去。泰山没有留神竟被它把整条没完成的绳子拉跑了。泰山立刻跳起来追了上去,只是他的脸上并没有生气的样子,就连他的呼叫声里,对这个顽皮的小巴鲁也不带恶意。

尕赞径直朝它母亲身边跑去。在它后面是紧追着的泰山。娣卡从它寻食的工作中抬起头来看了一眼，只看见它的小巴鲁被一个什么人追着,于是它不由得龇出了獠牙咆哮起来。等它看清楚追逐者原来是泰山的时候,它就又回到了原先的事情上去了。

泰山终于就在它眼前不远处抓住了小巴鲁。尽管这个小东西用力发出了尖叫，在泰山手里踢打着，但娣卡只是偶尔朝他们那里看上一眼，一点儿也不再害怕泰山会伤害它这个头生的小宝贝，因为泰山不是曾经两次救过尕赞的性命吗？

弄回了绳子，泰山又回到了他的树上，继续他的工作，只是从此以后他要时时留神那个顽皮的小巴鲁了。说不定什么时候，只要它光皮肤的叔叔稍微放松了对它的警惕，小巴鲁就又会在那根有趣的绳子上弄出什么把戏来。

尽管有这么个捣蛋鬼在旁边，泰山最终还是搓好了这根又长又柔软的新武器。它比他以前搓的任何一条都结实。他把剩下的半条旧绳索给了尕赞去玩，因为在泰山的脑子里有一种想法，想教育娣卡的巴鲁，使它在长大成人后能从他的教训中获得好处。现在小猿的内在的模仿才能足够使它熟悉泰山的行事和它的武器了。所以，就在小尕赞在空地上拖着泰山丢弃的那根旧绳索高兴地游戏时，泰山却在肩上背着他那根新绳子从树上向远处荡去。

泰山一面向前走着寻找食物，一面想着如何在什么动物身上使用他的新武器，不过他的脑子里也常常想起小尕赞。泰山确实感到自己对娣卡的小巴鲁从一开始就有一种特别的喜爱，这不仅因为他是自己头一个喜欢的母猿娣卡的孩子，也因为这个小东西本身的原因，因为泰山的人性常表现出对某些生物渴望施予自己情感的欲望。这也许是一个正常的灵长类个体生来的性格。在这一点上，泰山真是嫉妒娣卡，即使是同格也无法赢得尕赞对娣卡那样的感情。只要它饿了、感到恐惧、疼痛以至疲劳的时候，它都会直接跑到娣卡身边。因此，泰山也殷切地希望会有一个什么小东西能在寻求保护时，头一个向他求援。

同格有它的娣卡，而娣卡又有个小尕赞，而且几乎喀却克族所有的公猿或母猿都各自有一个或几个可爱的对象。当然，泰山很难形成对这些关系的准确认识，他只是感到他所渴望的事物却总是在拒绝他。它们也似乎正是代表着存在于娣卡与它的巴鲁之间的那种关系。所以，他既嫉妒娣卡，又希望他自己也有一个巴鲁。他看见过希塔和它的一家。同时，在烈日当空的时候，在内陆那些石山地带的一面面山岩阴凉的草丛里，值得凉凉快快地躺上一天的地方，他也看到努玛和沙保成双成对地在那里休息，还有玩耍在它们周围的小狮子。此外，泰山也看见麋鹿和它的小鹿，以及布吐和它的小家伙。丛林里几乎所有的生物都有它们的小东西，只有泰山例外!这使人猿泰山一想到这件事就不由得悲从中来，感到既凄凉又寂寞。

但是，现在忽然有一股猎物的味道袭来，使他的头脑为之一振。他像只猫一样一蹿就跳到一根横在一条小路上面的弯树枝上。那是一条丛林里动物们走惯了的、到水边去的路。

在漫长的岁月里，究竟在这里的老树杈丫茂密的树叶覆盖下，进行过多少次野蛮的流血狩猎，是谁也难以计算的。但是，不管是人猿泰山啦，猎豹啦还是蟒蛇啦等等，都把这里树干的上层树皮磨掉了不少。

今天泰山遇见的是一头豪尔塔(猿语，野猪)。它正朝泰山蹲伏的大树下走来。它的大獠牙和少有的凶猛的野性，使许多肉食动物都不敢轻易地去招惹它。可是对于泰山来说肉食品就是肉食品，遇到饥饿的时候，他是绝不会把美味轻易放过的。饥饿中的泰山就像战斗中的泰山一样是丛林中最可怕和凶猛的居民。他既不知道害怕也不知道怜悯，只有有时有一种奇异的力量曾使他停手，一种对他来说不明所以的力量。也许这种力量就是他不知道的血统遗传给他的，而这正是人类文明和人道博爱精神的遗传。

所以，这一次泰山是不会放过这顿美餐的，他正等待着那家伙不经意地向他走来。等到野猪刚好到了他的树下，泰山适时地丢下了他新制成的绳套，不偏不倚地落到豪尔塔的脖子上。这真是一次非常漂亮的对他的新武器的试验。被套住的野猪发了怒地左冲右突一心想逃开，但是泰山早已经把绳子的另一头牢牢地拴在他投下绳套的大树枝上了。

豪尔塔号叫着乱冲的同时，它的獠牙不断地把跟前的树皮戳得四散飞溅，泰山这时却抽出了他的猎刀跳到地面上来。这把猎刀是自从他好久以前遇见大猩猩时，用它救了自己的性命以后，一直留在身边形影不离的东西，如今它就握在他的手里。泰山向着豪尔塔走去，他这时显得既强劲有力，又勇气十足。尽管如此，面对凶猛的野猪，一位只是手持一把猎刀的年轻人就敢闯上前去，让我们看来不免觉得他有点发疯。

野猪突然看到泰山，一下子愣在那里，睁着它那一对深陷的小眼睛，不知所措地低着脑袋摆出一副进攻的架式。

“吃烂泥的家伙!”泰山嘲弄地说，“尽管你这家伙浑身臭烘烘的，但是你的肉却挺香的，而且还很有营养，能让泰山强壮起来。今天我先吃你的心。我的老天，看你这两颗大獠牙，要是碰上它，真能把我的肋骨戳断。”

豪尔塔自然对泰山的咕嘟一无所知，它只看见眼前站着一个光着身子的人。他身上既无毛发,也没有什么天生的长在身上的“武器”。他的獠牙小得可怜,浑身的肌肉都露在外面,没有保护的皮毛,根本不算凶猛。所以,它毫无顾忌地向他发起了进攻。

泰山等到野猪的獠牙几乎戳到他的大腿时，才轻轻地向旁边一跳,躲了开去。他的动作是那样敏捷,简直就像闪电一样。但是,就在他弯身向旁边一跳的瞬间,他把父亲遗留给他的那把猎刀直插进了野猪的心脏，接着又躲开了这头野兽临死挣扎的猛攻。不一会儿,野猪的心脏已经抓在他手里了。

他的肚子最终被填饱了。但是,他并没有像往常一样找个地方去休息,而是继续穿过丛林去寻找一项新的冒险事业,所以他迈步直向孟格村走去。自从那里酋长的儿子库龙格无端地杀害了他的养母卡拉母猿之后，泰山对那里的黑人已经进行了多次冷酷的报复。

孟格村旁有一条弯曲的小河,泰山常到这里游逛,这里的景色总是让他着迷。他对在这里能看到行动笨拙滑稽的杜罗(猿语,河马)特感兴趣。他也喜欢在这里戏弄那些懒洋洋晒太阳的、凶残而行动迟缓的吉姆拉(猿语,鳄鱼)。他在这儿有时也会遇到黑人妇女洗衣服,在她们跟前有时也有她们的小巴鲁,在玩他们自己的原始游戏。这时往往是泰山弄点什么把戏恐吓她们一下的好时机。

今天说来也巧，他恰好在平常所到地方的下游遇上了一个妇女和她的孩子。那妇女正在河边的泥里挖河蚌之类的东西。她是一个年轻的黑人妇女。她的族人肯定是吃人肉的,因为她露出的牙齿磨得很锐利。她的嘴唇上吊着一个大铜环,可能是因为吊了多年的缘故,以至于使她的下唇向下拉开,连下牙床都能看得清清楚楚。她鼻子的中隔膜上也穿了一根木串针,耳朵上也吊着金属的装饰品。此外,她的前额、两腮和鼻梁上都刺了花纹,显出一副成熟妇女的样子。她上半身裸露,下半身只围了一条草编的腰裙。在她自己眼里和她族里的男子眼里,她一定是美丽的。不过泰山并不知道她并不是孟格村里的人,而是另一个部族的人,是孟格村一个武士的战利品。当然这些对泰山来说,都是无关紧要的。

她的孩子大约有十岁,身体挺直细长。泰山隐藏在附近的一处大灌木丛里,正观察着他们。他本想像往常一样,猛地跳出来高叫一声,然后看他们惊慌失措发狂地逃跑的样子,借以取乐。可是这会儿,突然有一种想法改变了他的主意。这里有一个巴鲁和他自己的样子几乎一样,只是他的皮肤是黑的罢了,可是这有什么关系呢? 泰山至今还没有看见一个完全像他一样的白人!他似乎是世界上他这种生命样式的唯一代表。这个黑孩子可以成为他的一个很好的巴鲁。至今他,泰山,还没有一个自己的巴鲁呢!泰山会很好地照料他,让他吃好,就像泰山保护自己一样地保护他。泰山除了可以教给他半人半兽的知识以外,还可以教它丛林中、地上和树上的技巧和秘密。

泰山终于打开了绳索,抖开了绳套。眼前这对母子对迫在眉睫的危险当然一无所知,正在用木棒掘个不休地寻找着河蚌。泰山从他们背后的树丛中向他们走去,绳套拖在他身旁。一刹那间，泰山挥动他的右手，绳索套从半空里飞了过去，刚好从那个黑孩子的头上落下，到了他的肩膀以下。就在这时，泰山猛地一抖，收紧的绳套把小黑孩子捆个正着，再一抖就把他拉到了自己跟前。小黑孩一被捆住就恐惧地大叫起来，等他妈妈听到他的叫声转头看时，才发现自己正被拉向一个白色大汉。大汉正站在离她不过十来步的一棵大树下。

这个黑女人不由得发出了一声恐怖又愤怒的呼叫，忘了恐惧地直向泰山奔来。在泰山看来，她的脸上流露出一种面对死亡也不会畏怯的坚决和奋勇。她的表情与其说是恐惧不如说是憎恨，而且现在被这种感情弄得脸部也抽搐得变了样，使她的样子叫人害怕起来，就连泰山也向后退了几步。

泰山把小黑孩夹在腋下时，他正又咬又踢地闹个不止。可是正当他的妈妈冲向泰山准备与这个奇怪的白人一拼死活，夺回她的孩子时，泰山却敏捷地带着他刚刚抓到的还在踢打的小俘虏，消失在丛林的深处了。不过，这时他脑子里正升起一个疑虑，不知这个小黑家伙会不会也像他妈妈那样英勇无畏。

直到再也听不到那个黑女人的哭喊叫骂之后，泰山停下来开始观察他的小俘虏。现在这个小黑人已经完全被吓坏了，听不到妈妈的声音，好像他的勇气也跟着消失，再也不挣扎喊叫了。

这个被吓坏了的孩子，圆睁着他的骨碌碌转动的大眼睛看着俘虏他的人。

"我是泰山，"泰山用猿语对他说，"我并不想伤害你，你将是泰山的巴鲁。我会给你弄最好吃的东西，因为泰山是丛林里最好的猎手。你对什么都不用害怕，就是对努玛也不要怕，泰山会保护你。泰山是力大无比的斗士，谁也没有泰山——卡拉的儿子伟大。所以谁也不用怕。”

黑孩子听了这些话，仍然只是在那里抽抽嗒嗒地哭泣和发抖。他根本就听不懂大猿的语言，况且泰山的话让他听起来，也像野兽的咆哮和吼叫。再说，他也听到过有关这个可怕的丛林白神的许多故事——就是这个家伙杀死了库龙格和其他好几个武士，还在黑夜里到村子中用魔法偷走了箭和毒药，恐吓妇女、小孩。此外，他的母亲常常在他顽皮不听话的时候吓过他，要把他扔给这个丛林里的白神。所以如今这个被他母亲叫作蒂宝的小黑孩吓得像得了疟疾一样抖个不停。

“你冷吗?Go—bu 巴鲁?”泰山问道，他用的是他自创的“人”的语言。

“太阳很热，你抖什么?”

蒂宝无法理解他的意思，但是他不断地哀求索要他的妈妈，求这个大白神让他走，而且用了一个孩子所能想到的一切承诺，只求大白神放他回去。泰山摇着头，不是不答应，而是他什么也没听懂。看起来他必须教给这个 Go—bu 巴鲁一种可以交谈的语言。Go—bu 巴鲁的语言听起来就像是那些笨鸟的啾啾声，无法交流。现在再清楚不过的是，泰山得赶快把他的这个小巴鲁带到喀却克部族去。在那里他会经常听到大猿是怎么交谈的，这样一来，他会很快学会这种充满智慧的话语。

泰山在他休息的摇晃着的树枝上站了起来，而且示意小黑孩跟上来，可是小蒂宝只是更加用力地抓紧了树枝哭泣。作为一个孩子，一个非洲人土著，他当然多次爬过树，但是却从来也没有在树上奔跑的想法，像泰山那样从一个树枝跳到另一个树枝上。从他母亲身边把他抢走后，泰山就带着他在树上蹿跳，这太让他恐惧了!

人猿泰山不由得叹息起来，他的小巴鲁要学的东西可太多了。像他这样大小和气力的巴鲁却是如此地低能，这真是一件可惜的事。他试图诱哄小蒂宝跟着他，但这孩子怎么也不敢离开他紧抱的树枝一步。最后泰山只好把他抓起来甩到肩上，扛起他向前蹿去。蒂宝再也不乱抓乱咬了，因为他似乎已经知道，逃跑是没有希望了。即使现在把他放到地上，逃跑的希望也是非常渺茫的，尽管他能找到回孟格村的路，他却又如何对付路上遇到的猎豹、狮子和鬣狗的袭击?蒂宝清楚，只要遇见任何一种野兽，他都会成为它们的一顿肉食美餐。现在，这个丛林里的白神对他还没有伤害的意思，他不能从绿眼睛的猎豹和狮子那里得到比他更好的照顾。两者相比他只能让这个白神把他带走，因此他也就不再像原先那样又抓又咬地反抗了。

当泰山在树枝间向前荡去的时候，小蒂宝闭紧了他的眼睛，免得看着下面如深渊一样的地面感到害怕。可以说蒂宝至今还没有在生活中经历过这样令他胆战心惊的事。不过小蒂宝尽管害怕，当泰山扛着他向前行进时，他还是有一种相对的安全感，尤其是当他感到泰山稳健地大步流星地向前蹿跳时，更是如此。泰山抓握摇摆的树枝时，是那样的准确无误。何况在大树的中上层，毕竟还可以远离那些凶猛的野兽。

泰山就这样一直来到大猿部族栖息的空地，肩上扛着他的小巴鲁来到大猿们中间。不论是小蒂宝还是遇见他的大猿都感

泰山只好把他抓起来扛在肩上向前蹿去。

到十分吃惊。小蒂宝惊恐的是这一群浑身披着毛发的可怕的大猿；而头一个看到他的大猿却惊讶于泰山这回竟带来一个小黑人猿。于是大猿们都带着好奇和敌意围上来。

一个小时以前，小蒂宝会说他最害怕的是在高树枝上的走动,那么现在面对这样一大群可怕的野兽围着他时,以前的那些可怕的事都无法和现在的恐惧相比了。为什么他的这个大白神竟然能泰然地面对这些凶猛可怕、满身毛发的家伙?为什么他没有逃跑,而这些满身毛发的家伙也像是对他没有敌意?这会儿让蒂宝想起的只是他过去听来的、在孟格村广为流传的、有关这个大白神和这些毛发披散的大猿住在一起的传说。而且说他可能就是一只没有毛发的白猿,不是吗?

蒂宝睁大了眼睛恐惧地看着它们。他看到它们向前伸出的下颌,它们的大獠牙和邪恶的小眼睛,也看到了它们粗壮的肌肉在他们粗糙的皮肤下滚动。他们的每一个姿势都对蒂宝构成威协,使他感到恐惧。泰山也看出了这种情况,他把蒂宝拉到自己身边对大猿宣布:“这是泰山的 Go—bu 巴鲁,谁要伤害他,泰山就要杀死谁!”说着他向最近的一个大猿亮出了牙齿,表示了他的威风。

“这是个小黑猿不是吗?”近处的大猿回答说,“让我杀了他。这些黑猿都是我们的仇敌。让我来下手吧!”

“滚开!” 泰山咆哮着,“我告诉你冈吐，这是泰山的巴鲁,走开,不然泰山就杀了你。”说着泰山向这个大猿跟前迈出了一步,摆出一副要打斗的架势。

冈吐溜走了,但却表现出一副高傲的样子,就像一条狗遇到了另一条比自己强的狗转身离去时那样，既显出不屑一战，实际心里又有些害怕。

接着来的是娣卡，它是因为好奇才走过来的，小尕赞在它身边一跳一跳地走着。它们也像别的大猿那样觉得奇怪，只是娣卡并没有露出獠牙来表示敌意。泰山看见它们走来，说道："现在泰山有了一个小巴鲁了。他和娣卡的巴鲁可以一块玩。"

"他是个黑猿，"娣卡回答，"他会杀了我的巴鲁的。把他弄走吧!泰山。"

泰山笑起来说："他连一个盘巴（猿语，老鼠）也杀不了。他只是一个胆小的巴鲁罢了。让尕赞和他玩吧!"

娣卡仍然有些不放心，因为大猿尽管很凶恶，但它们的内心对不熟悉的事物总是存着戒心。不过最后她抵不过泰山的一再要求，还是把她的小尕赞推向小黑人跟前去。小猿却先是由于天性，畏缩在他妈妈怀里，后来虽然向蒂宝走去，却一面向小黑人露出了牙齿，而且一边还发出带着胆怯和恐惧的咆哮声。

蒂宝也没表现出要和尕赞亲近的意思，所以泰山只好放弃了这一次的努力。

随后的一周，泰山才发现他的巴鲁对他来说简直是一个拖累，这是他原来根本就没有想到的。除了娣卡以外，泰山对部落里的每一个大猿都不放心，因为他们随时可能在他不在小蒂宝身边的时候，把这个一点自卫能力都没有的小黑人杀掉。当他出去打猎的时候，他不得不把他的 Go—bu 巴鲁随时带在身边，这真是一件令他厌烦的事。而且，这个小黑人在泰山看来也实在有点笨，他几乎对丛林里任何生物都没有一点防御能力，泰山简直不知道过去他是怎么活下来的。泰山试着教他点什么，后来发现了一点曙光，他开始能掌握大猿的简单的语言了，而且慢慢地他也能抱住摇摆的树枝不再害怕了。不过，泰山对他的这个小巴鲁还有一个清楚的感觉，那就是这个小黑孩子不再笑了。可是泰山曾经多次偷看到孟格村的孩子在游戏时大声欢笑，这似乎是黑人的一种行为方式。当然，泰山是不笑的，他只是有时微笑或露出得意的狞笑，如今这个小黑孩也变得没有笑容起来。

泰山还注意到他的Go—bu巴鲁常常不想吃东西，因此也一天天瘦下来。有时他还偷偷地哭泣，泰山想安慰他，就像卡拉当泰山还是一个小巴鲁时给予的安慰一样。但结果一切都是白费心思，只是小黑人不再害怕泰山罢了。不过小黑人白天仍然害怕在树林上层心摇目眩地行走；晚上又害怕栖息在时时晃动的树杈上，听着地上不时传来的食肉动物的足音、吼叫与咆哮。

泰山不知道怎样办才好。他的英国血统让他很难作出放弃自己计划的决定。尽管他不得不承认，他的这个小巴鲁并不像他原先希望的那样。但是他坚信他遐想出来的这项事业。甚至他发现自己开始喜欢上了他的Go—bu巴鲁，但他还是得承认，他和小黑人之间的感情远远无法与娣卡和它的巴鲁以及小黑人和他妈妈之间的感情相比。

小黑孩从见了泰山就害怕到逐渐有些相信和爱慕起泰山来。虽然他还没有感到大白神对他有多么慈爱，但是他看到有的大猿想加害他时，大白神是多么凶猛地对待它们。他看到大白神把有力的牙齿咬进对手的肩膀，也看到他有力的肌肉在战斗时多么强壮。他也怀着恐惧的心情想起大白神怎样像野兽一样咆哮和吼叫，在这种时候他简直分不出大白神是神还是大猿。他也看见过泰山是怎样像狮子一样捕捉到一头雄鹿，把牙齿一下子就咬进了猎物的脖颈。蒂宝对此既恐惧又羡慕，而且可以说平生头一次在他稚幼的小脑瓜里模糊地产生了一种要效法这个野蛮“养父”的想法。只是这个小黑孩却远远缺乏泰山——一个白孩子的那种天生的智能，使他能从蛮荒丛林的生死奋斗中获益。在想象中他确实是一心想学到这些本领，而真正的想象力却是另外一种人类高等智能的代名词，它和小黑孩的这种普通的愿望是完全不同的两回事。

人类真正的想象力使其建造出桥梁、城郭甚至一个庞大的帝国和文明的社会，野兽却全无这种才智。

就在泰山考虑他的小蒂宝前途的时候，命运之神却做了出乎他意料的安排。

莫玛亚——蒂宝的妈妈被失去儿子的悲痛所压倒，只好向村子里的巫师求救。结果当然落得一场空，因为巫师给她的药物无效，尽管她为此付出了两只山羊，蒂宝仍然全无下落。莫玛亚是个脾气暴躁的女人，对村子里这个无能的巫师也不太信服，所以当她丈夫提出再送给巫师两只大肥山羊时，她不由得破口大骂起来。事情既已如此，巫师只好拿了他的法器——斑马尾和魔法罐——走了。

莫玛亚把巫师骂走之后气也消了，开始尽力思考寻找小蒂宝，至少先要弄清他在哪里或者是他的死活。这是自从小蒂宝被劫后常在她脑中盘旋的事。不过黑人都知道泰山是不吃人的。他弄走的孟格村的武士最后都扔回到村子当中。因为小蒂宝的尸体至今也没有发现,所以莫玛亚断定他并没有死。

她不由得想起了住在北面山脚下那个有名的、有点法术的布卡瓦。大家都知道他在洞里和魔鬼打交道。因为他的魔法和他养的两只鬣狗,以及他被疾病侵蚀了的相貌,大家都不敢到他那里去。

现在莫玛亚对儿子的爱已经战胜了她的恐惧,不论是谁,只要能帮她找到她的小蒂宝,即便是布卡瓦,她也要去找他。不是说布卡瓦能和神魔打交道吗?抢走她的小蒂宝的不是大白神就是大白魔,伟大的母爱使她鼓起勇气,穿过暗黑的丛林,到山岩那里去找布卡瓦——这个不洁净的人和他的魔鬼。

母爱是一种伟大的人类感情，它几乎会产生一种不可抗拒的力量，可以使一个软弱的妇女献身英勇的行动去完成伟大的事业。莫玛亚并不软弱,但她是一个无知的、迷信神魔的非洲妇女。她相信黑人巫师的魔法和巫术,对莫玛亚来说,丛林里居住的尽是比狮子和猎豹更可怕的、说不出名字来的东西。

莫玛亚从村子里的一个武士那里听说了布卡瓦的事。据说这个不洁净的巫师住在丛林对面一条穿过峡谷的小溪边的山岩上。小溪东面的一座山很好认,它上面有一块大圆石,它西面的一座山比东面低，除了有一棵大的夜合欢树外几乎再没有别的植被。武士对她说,这两座小山很好认,从很远处就可以看到它们,是到布卡瓦住处的路标。不过他警告莫玛亚最好不要去,因为即使她能找到布卡瓦，来回的路上她也会遇到各种食肉类动物。

这个武士甚至找到莫玛亚的丈夫，但后者似乎在坏脾气的老婆面前没有什么权威，于是他们就去找孟格酋长。酋长孟格叫来莫玛亚，威胁如果她去了布卡瓦那里，将给她可怕的惩罚。其实这个老酋长的真正兴趣，在于维护他与本村巫师迷信之间的联盟关系。本村的巫师比任何人都知道他自己的法力究竟有多灵，他害怕和嫉妒在巫术方面比他强的人。他早就听说过布卡瓦法力的传闻，一旦布卡瓦真的帮莫玛亚找回来她的儿子，那么村里人都会相信布卡瓦——那个不洁净的魔鬼附体的人。作为本村首领的孟格，他从传统的本村巫师那里得到的好处也会丧失，他从布卡瓦那里当然是什么也得不到的。

既然莫玛亚决心无所畏惧地穿过可怕的丛林，去拜访布卡瓦那座传说中令人恐惧的住所，那么孟格的威胁也就吓不住她。只是以前她对老酋长还是比较尊重的，所以这会儿她看起来好像很听话的样子，不声不响地回到她的小屋里去了。

莫玛亚倒是愿意白天开始她的旅程，但这是完全不可能的。因为，她总得带上干粮和什么顺手弄来的武器，这些东西她是无法白天带着它们走出村寨的大门而不引起关注的。这样一来，事情很快就会传到孟格的耳朵里。所以，莫玛亚最终决定把她的出发时间定到晚上，刚好在村寨的大门关闭之前溜出去，摸着黑进入丛林。尽管很害怕，但她还是坚定地向北走去。她边走边时时停下来屏息听一听，毕竟这里的丛林大猫猎豹被黑人们传说得十分可怕。

她坚定地向前走了好几个小时，直到在她前面不远处的一声低吟，使她毛骨悚然地站住。她吓得心怦怦乱跳，大气都不敢出。接着她就听得虽然不太清楚，但绝对可以肯定的是大爪子压碎树枝和草叶的声音。这时她周围都是缠绕在高大树木上的藤蔓植物。她赶紧抓住一根向上爬去,想攀到一根大树枝上去。当她这样做的时候,突然从下面蹿出一个大块头的动物,发出地动山摇似的吼叫声,幸亏这时莫玛亚已经爬上了安全的地方。

莫玛亚紧紧地抱住一棵大树的树枝,躲藏在浓郁的树叶中。她庆幸多亏带上了年轻时她父母村子里的巫师给她的一只干耳朵。据说有了它就可以祛灾避难,增加听觉的灵敏。所以,莫玛亚今晚才能早早发觉来袭的野兽,躲到树上去。

整个晚上莫玛亚都紧抱着树枝,因为虽然狮子在树下待了一小会儿又去寻找别的猎物了, 可是莫玛亚害怕再遇见其他的狮子或野兽。等天亮了她才敢从树上爬下来,重新开始她的旅程。

人猿泰山发现他的巴鲁始终对别的大猿感到明显的恐惧,而且大部分成年大猿对他的 Go—bu 巴鲁的生命无疑是一种威胁。泰山只好带着他的巴鲁一步步远离大猿聚居栖息的地方狩猎。

渐渐地,泰山外出狩猎的地方离他的部族越来越远,他在部族里露面的时间越来越少。后来他终于发现自己走到了北方一处他从来没有来过的地方,这里有水、丰盛的水果和猎物。这里让他觉得他无需再留在他部族的那块地方了。小巴鲁尤其对在这里生活表现出很大的兴趣。可以说离喀却克的大猿越远,他越觉得无拘无束。现在只要泰山在地面上行走,他就很快地跟在后面,如果泰山跳到树上,他也尽可能努力地跟着他健壮的新养父。

只是这个孩子现在仍然显出悲伤和寂寞的样子。他瘦小的身躯越加瘦小,因为他毕竟和大猿待了一段时期,作为一个肉食者和食谷物的人类,他很难适应大猿们的口味和日常的食物。他的大眼睛越发大起来，他瘦小身体上的每一根肋骨使遇到他的人可以一眼就看得清清楚楚。持续的恐惧和不对胃口的食物大概都是使他瘦下来的原因。泰山早就看出了他的巴鲁的这种变化,不免忧心忡忡。他多么希望他的巴鲁变得强壮高大起来,可是他失望了。只在一个方面,他的 Go—bu 巴鲁有了进步,已经掌握了大猿的一些语言。小巴鲁和泰山之间不但能用猿语交谈,而且还学会了一些他们之间可用的辅助手势。但是大多数时间小黑孩还是沉默不语,他的悲伤总是触动着泰山,使泰山难以把他的小巴鲁的这种情绪置之度外。蒂宝总是想念着莫玛亚,对于别人她也许是胆怯的、讨厌的,甚至是可憎的,但对于蒂宝来说她却是最最亲爱的妈妈。人性中最可亲的、无私的、伟大的母爱永远也无法自行消失。

当这两个人一块儿狩猎时——或者毋宁说是泰山在狩猎,小蒂宝只是拖拉地跟在后面,泰山注意到许多事,而且引起了他的深思。有一次他们在深草丛中看到一头母狮,在它的周围有两个毛茸茸的小狮子在嬉闹，但是就在它的两个前爪之间却躺着一个永远也不能再嬉闹的小东西，正是它让这头母狮发出悲哀的呻吟。

泰山看了这景象,完全明白这头大母狮忧郁和痛苦的原因。他本来是想悄悄地跳到它上面的树上去引诱它，但是等到他真的来到母狮的上面时,它对于那头死亡的小狮的悲哀的表情,却又让泰山停下来。自从泰山有了自己的 Go—bu 巴鲁以后,就开始懂得父母对子女的责任和悲喜了。他不由得从眼前的母狮身上联想了开去，和几周以前他对沙保的做法已经有些不同了。他从沙保的身上想到了莫玛亚的样子。那个鼻子上穿着针的、嘴唇下垂的黑人妇女，曾经让他觉得丑陋不堪的妇人，现在却让他产生了对母狮同样的感觉，他感到了某种歉疚的感情。这时人类奇妙的思维力量，把娣卡和尕赞，母狮和它的小狮，甚至莫玛亚和他的Go—bu巴鲁都联系到一起映现在他眼前。这时如果有谁从娣卡身边弄走小尕赞，泰山会怎么样?想到这儿，他嘴里不由得发出一声威胁的咆哮，就好像尕赞是他的一样。Go—bu巴鲁向左右看了一下，认为泰山一定是看到了什么敌人或对手。沙保也跳了起来，黄绿色的眼睛发出闪闪凶光，尾巴一翘一翘。它竖起耳朵警惕地倾听时，两个在嬉闹的小家伙，也蹒跚地跑回它们母亲的两条前腿中间，在那里伸着头向外面窥望。它们的耳朵也像母亲一样地竖了起来，头向前伸着，一会儿看看左面，一会儿又看看右面。

泰山这时把他的长头发向后一甩，转身又去狩猎了。只是几乎一整天他脑子里都时不时地出现莫玛亚——一个黑女人、娣卡——一头母猿、沙保——一只母狮的形象，不过在泰山看来，她们都是母亲的形象。

直到第三天中午，莫玛亚才远远地看到那个不洁净者——布卡瓦的洞穴。这位老巫师用一些树枝草草扎成一扇防备野兽袭击的洞门。现在这扇洞门正打开来，露出黑洞洞的神秘的洞口。在这个阴雨的季节一阵冷风吹来，莫玛亚竟浑身颤抖起来。莫玛亚在洞口附近没看到有什么生命，可是她好像感觉到有一双不怀好意的眼睛，正在她不知道的地方看着她，所以她不由得又打起冷战来。她努力挺直双腿向前走去。当快到洞口时，她终于听到从洞的深处发出一种声音，它既不像人声也不像野兽的声音，倒像是一个瓮声瓮气的狞笑。

这声音吓得莫玛亚转身朝丛林方向就跑。跑了不到一百码，她终于控制住自己，停了下来侧身去倾听。难道她的艰苦跋涉和两天来的担惊受怕，就这样一无所获吗?于是她又鼓起勇气想转身向洞口走去，可是恐惧仍然使她不敢向前。她又悲伤又失望，迟疑不决地向来路慢慢退回去。她垂着双肩，拖拉着疲倦的双腿，活像一个年老的妇人，好像她一下子就老了三四十岁。可是这时一个小婴儿在她怀里吃奶的形象又浮上她的心头，接着又是他长大了在她身边嬉戏、玩耍、欢笑的样子。啊!她怎么能忘记她的蒂宝呢？这是她的蒂宝啊!

莫玛亚的头终于昂了起来。尽管每一步都走得心惊胆战，但她还是转身大着胆子又朝布卡瓦巫师的那个洞穴走去。这一次她又听到了那种类似笑声的让人毛骨悚然的声音，并终于弄明白了，原来是鬣狗的叫声。她再也不那么害怕了，她端起长矛，一边慢慢向前走着，一边高声叫着布卡瓦的名字。

布卡瓦的洞口终于露出一只鬣狗的头，它向她不停地嚎叫着。莫玛亚把她手中的长矛直向它刺去，鬣狗立刻缩回了它的头，却还不停地发出无奈的咆哮声。莫玛亚仍然不停地叫着布卡瓦的名字。这时洞里传来一种比鬣狗的嚎叫好听不了多少的怪里怪气的人声:“谁来找布卡瓦?”

“我是莫玛亚，”莫玛亚勉强听懂了布卡瓦的问话后，回答说，“是孟格酋长村里的莫玛亚。”

“你要干什么?”

“我要药,比孟格村的巫师做得更好的药。”莫玛亚回答说,“丛林里那个高大的白神抢走了我的蒂宝,我需要更有用的药把他弄回来,或者至少能知道他现在被藏在什么地方,我好去把他弄回来。”

“谁是蒂宝?”布卡瓦问道。

当莫玛亚告诉他蒂宝是谁以后,布卡瓦在洞里瓮声瓮气地说:

“布卡瓦的药可是非常有效的。要五只山羊和一领新草席才能换到布卡瓦这么好的药。”

“顶多两只山羊。”莫玛亚回答道。讨价还价是黑人妇女的一种特别的本领和爱好。

要一个好价钱的吸引力,终于使布卡瓦从他的洞里探出了头。布卡瓦的样子真是让莫玛亚后悔把他引出来。他的脸是那样难看,那样令人讨厌和恐惧。他的鼻子好像烂穿了,所以他的声音听起来含混不清。旁边是他豢养的两头鬣狗。它们在布卡瓦身旁不停地轻声咆哮,说明它们正在为了主人而向她示威。它们和布卡瓦的声音,构成了一曲最难听的人兽三重奏。

“五只山羊和一领新睡席。”布卡瓦咕噜着坚持说。“两只肥山羊和一张睡席。”莫玛亚抬高了她的出价。但是布卡瓦却始终不肯松口,他似乎看出既然这个黑女人能冒着危险来,那她就一定会出高价钱。所以,他一直坚持了半个多小时。而这期间他的那两条鬣狗一直不住地嚎叫,吵个不停。莫玛亚几乎就要让步了,她认为只要布卡瓦真能找回她的蒂宝,她情愿付出这样高昂的代价。不过,拼命讲价钱是她们黑人妇女的本能,所以到了最后布卡瓦到底被她磨了下来，同意用三只肥山羊、一领新睡席和一段有胳膊那么长的细铜丝成交。

“到晚上，”布卡瓦说，“当月亮升上天空时，你把这些东西带来，我才会制造最有效的药，好把你的蒂宝弄回来。你回来时一定要带来这三样东西。”

“我不带这些东西来，”莫玛亚说，“你得自己来拿，你只要把蒂宝给我找回来，我一定会在孟格村把这三样东西都交给你。”

布卡瓦使劲摇着头说：“我什么药也不做，除非我收到山羊、睡席和铜丝!”

莫玛亚又是恳求又是威胁，但一切都是枉然，布卡瓦这次坚决不肯让步了。最后，莫玛亚只好转身向丛林里的来路走去。她愁绪万端，怎么才能把三只羊和一领新睡席从村里弄出来，再穿过丛林把它们带到布卡瓦的洞前来呢？她简直无法想象自己能顺利地完成这件事，但是她却必须做这件事，这是可以肯定的，否则她还不如死了的好，因为她不能没有她的蒂宝!她一定要把他夺回来!

泰山悠闲地在丛林里游荡，他的Go—bu巴鲁也慢吞吞地跟在后面，忽然他嗅到了一股巴拉的气味。泰山已经有好久没有尝到鹿肉了。还有什么能比得上鹿肉的滋味？泰山不由得馋涎欲滴。但是让巴鲁跟他一块儿追踪巴拉简直是不可想象的事，所以他决定把小蒂宝藏到树上树叶稠密的地方，然后他轻巧敏捷又迅速无声地赶这头麋鹿去了。

蒂宝觉得一个人待在这高树枝上，甚至比他待在大猿中间还要可怕。真实和明显的让人恐惧的东西，有时远远赶不上人们想象中的东西可怕。这会儿谁都不知道蒂宝在想些什么可怕的事,不过从林里不寻常的万籁俱寂,总是一种让人感到恐惧的环境。

蒂宝在恐惧中度过了不长的一段时光，之后忽然听到树下不远处有什么响动。于是他爬出藏身处，来到枝叶较稀疏的地方,睁大了他圆而大的眼睛,想看看泰山是不是回来了。

难道是一头猎豹嗅到了他的气味? 他怎么忽然就眼泪汪汪的?做屏障的树叶就在他身边沙沙作响,下面的东西距离他的那棵树只有几步远。他的眼睛瞪得越发大了,就好像这个下面走来的生物就要拨开树叶和藤蔓向他扑来!

接着藤蔓的帷幕揭开了一条缝，可以清清楚楚地看到走过来的是一个妇女!只听得蒂宝大喊一声,就从树上翻了下来,径直向那个女人跑过去。莫玛亚突然吓了一跳,正要举起她的长矛,可是一眨眼间,她就把它扔到一边,伸出手臂把跑过来的孩子紧紧地搂在怀里。

在附近睡觉的一头狮子被这一阵大呼小叫和哭喊声给吵醒了。它从浓密的灌木丛里正好看到一个黑人妇女和一个孩子。它刚刚消化完昨夜的食物,如今正是腹内空空。美味在前,如何不让它馋涎欲滴? 它的尾巴这时正一扫一扫地摆动着,看得出它的心态。这会儿它准在估量着它和这两个猎物之间的距离,一个跳跃就能把他们弄到手。那还用怀疑?它放心地吐出了一口气。

一阵不定向的微风,竟然改变了风向,把泰山的气息吹到了巴拉敏感的鼻孔里。麋鹿身上的肌肉马上绷紧了,它的耳朵也竖起来,突然地向前一跳就蹿到前方去了,泰山的美味就这样消失了。人猿泰山气得只好摇了摇头,转身向他的 Gu—bu 巴鲁藏身的地方走去。按照他惯常的方式，脚步轻盈地向前走着。可是就在他要到达原来地点的时候，忽然听到一些奇怪的声音，好像一个妇女又哭又笑的声音。这些声音好像不是来自于一个人，而且还夹杂着一个孩子抽搐的哭泣声。泰山不由得迟疑地停住了脚步。就在他停下来时，似乎只有风和小鸟的声音了。

就在泰山越走越近时，他却又听到了另一种粗粗的出气声。这声音莫玛亚听不到，蒂宝也听不到，但是泰山的耳朵却像麋鹿一样灵敏。他听得见这一声气息，而且也明白这是什么动物发出来的，所以他从肩上解下了背着的长矛。泰山在丛林里游荡，即使是很安闲的时候也保持着他惯有的警觉，他从身上解下长矛，就像我们从口袋里掏出一块手帕那样平常。所以，现在他立刻解开了长矛，拿在手里，以防意外的事故发生。

狮子努玛并没有发起疯狂的攻击，它坚信眼前的猎物是跑不脱的。所以它缓步拨开灌木丛，露出毛发浓密的大脑袋，歪着头端详它的猎物。

莫玛亚猛地看到它，吓得打了一个冷战，一下子把蒂宝搀到怀里，紧紧地搂住。难道她意外地发现了自己的孩子，却又要在一瞬间失去吗?此时，她只能鼓起全身的勇气，拼足力气，举起手中的长矛。努玛咆哮着慢慢向她走来，莫玛亚用力把长矛向它投去。不幸的是，它只戳伤了努玛肩头的皮肉，而狮子却被激怒了，它发出了可怕的吼叫，直向前扑来。莫玛亚吓得就要闭上她的眼睛，等待死神的降临。但就在这时，她意外地看到一个光着臂膀的白大汉好像从天而降一样，落在蹿过来的狮子前面。她在热带的阳光下看到他闪着亮光的肌肉上，尽是被树叶影子映照出来的黑斑点。同时,她还看到他手中拿着和她一样的长矛,迎着扑来的狮子直戳去,一下子插进了它的胸膛。莫玛亚睁大了眼睛,愣愣地站在那里不知如何是好。

受伤的狮子大吼一声,突然转身向人猿直扑上去。灵敏的泰山只轻轻地一跳,就让过了狮子,蹿到它的身后去了。狮子带着插在身上的长矛,还没有收回向前扑去的身势,只见刀光一闪,泰山的猎刀又在狮子的背上留下了一道深深的伤痕。刀光再一闪,泰山又从侧面把利刃深深地刺进了狮子的身体。连受三处重创的努玛拼力向泰山扑去,却再次扑了个空,它最后一扑时前爪尽管一下子扫倒了几棵灌木,却一点没有伤到泰山。它伸长了身体,蹬了几下四肢,终于一命呜呼了。

布卡瓦担心莫玛亚不回来,自己得不到任何报酬,所以就一路跟着她。他知道自己法力和药物的效用,却奢望自己碰巧会成功,以便今后会有更多的人来上门求助。

这个巫师正好目睹了泰山和狮子搏斗的情景。他一看到泰山如此英勇,就想起在莫玛亚来之前,听到的有关这个丛林白神的种种故事和模糊传说。

莫玛亚现在没有了对狮子的恐惧, 却又产生了对这个白神的担心。不正是他把自己的蒂宝抢走了吗?毫无疑问,这一次他还是要把蒂宝夺走的。所以莫玛亚只好紧紧地抱住她的孩子。这一次她决定哪怕是死,也比再次丢掉她的蒂宝强。

泰山默默地看着她们母子。孩子依偎在母亲怀里抽泣的样子,在他野性的胸膛里引起了一种对自己孤独的伤感。怎么就没有什么人或物也能这样依偎着他? 他是多么渴望能有这样的一种爱!

最后蒂宝终于为周围长时间沉寂的环境所惊醒。他擦干了泪眼望着泰山说:“不要把我从我的妈妈莫玛亚身边带走,”蒂宝用他这些天学会的喀却克大猿部落的语言说道,“不要把我再带到浑身披满长毛的、在树上生活的那些难看又可怕的人那里去吧!我害怕同格、冈吐他们。让我和莫玛亚——我的妈妈待在一起吧!泰山,丛林里的神!求求你了,让我和莫玛亚在一起吧!我们会一辈子都感激你的!我们会把食物放在孟格村的大门口外,好让你永远也饿不着。”

泰山听了长长地叹了一口气说:“走吧!回孟格村去吧。泰山会跟着你们,以免你们受到什么伤害。”

蒂宝把泰山的话翻译给他妈妈听。他们两个感到说不出的意外和高兴,转身向回家的路上走去。莫玛亚的心里既害怕又非常兴奋,因为她从来没有和这个丛林里的大白神一块儿走过,但是她也从来没有这么高兴过。她把蒂宝紧紧地搂在怀里向前走去,一面抚摸着他瘦削的面颊,显出无限怜惜的样子。

泰山看到母子二人这个样子,不由得又深深地叹了一口气。

“娣卡有娣卡的巴鲁,”他自言自语地说道,“沙保也有它的小巴鲁,巴拉、曼纽,就连盘巴都有它们的小巴鲁。可是泰山既没有一个她,也没有一个小巴鲁。人猿泰山是一个 Man,难道 Man 就必得独自一个人吗?”

布卡瓦看见他们都走了,一面咕噜着,一面脸上抽搐着发誓说,他总有一天要弄到三只肥山羊、一领新睡席和一段铜丝。

六
巫师的报复

格雷斯托克爵士正在打猎，或者更准确地说他是在他的领地查莫斯顿的海定那儿打野鸡靶子。格雷斯托克老爷穿着干净而得体，无可挑剔。不用说，他当然占据着前排猎手的位置，尽管他不是一位好枪手。反正到太阳落山之前，会打下许多野鸡的，而且都是他老爷的成绩。因为他有两杆枪，还有两个手脚麻利的装火药的手下。他们会猎下足够一年吃的野鸡，即使爵士老爷不饿，这是当然的，也会有味美鲜嫩的野鸡肉出现在他的早餐桌上。

至于那些为爵士老爷驱赶猎物的人，他们穿着白罩衫，共有二十三位之多。这会儿他们正把野鸡驱赶到一片金雀花丛里去，让它们正好能撞到爵士老爷的枪口上。爵士老爷真是要多高兴就有多高兴，当那些驱赶野鸡的人把野鸡几只几只地赶过来时，他会觉得一阵阵热血沸腾。在这种时候，他常有一种模糊的感觉，似乎他也返回到了他祖先茹毛饮血的时代，成为一个像祖先一样赤身露体狩猎的原始人。

不过这时，远在茂密的丛林里，确实有另一个格雷斯托克老爷，真正的格雷斯托克老爷，也在打猎。就打猎的标准来说，他肯定更像他的祖先，当然这至多只是他的一种模糊的感觉而已，因为显然他并没有真正见过他的祖先是怎么打猎的，可是就我们的客观评价，他的打猎方式更像他祖先。这一天天气闷热，所以他肚子上围的豹皮已经被他掀到身后。只是他没有两杆枪，说实话连一杆也没有。他也没有敏捷的装弹药手和穿着白罩衣为他驱赶猎物的人。他只有一个饥肠辘辘的肚子和好胃口，再就是有力的肌肉和丰富的丛林知识。

在英国的这一天下午，一位格雷斯托克老爷终于坐在餐桌前大快朵颐，只是他吃的远非他自己白天打到的那点猎物，并且他喝的也不是普通的水，而是开瓶时会发出“嘭”的一声的美酒。他用雪白的亚麻巾，时不时地擦擦他的油嘴或沾满了美味汁水的双唇。这时他对于自己竟是一个冒牌货当然还是一无所知。他更不知道那真正拥有这份头衔的人，这会儿也在遥远的非洲刚吃完他的正餐。只是他并不用洁白的亚麻布擦嘴，却用他的手臂往嘴上一抹，再往大腿上一擦就把血污抹在那里了。然后，他慢慢悠悠地到喝水的地方去。在那里，他也像大猿们一样四肢撑在地上，把嘴伸到水面喝，就像丛林里其他的野兽差不多的样子。因为他并没有喝水的器皿，更没有学会用器皿喝水。

当泰山喝足了水以后，阴暗丛林里的另一个居民，也正慢吞吞地向水边走来。它是一头狮子，有着健壮的体格和披满了鬃毛的大脑袋，长就了一副威风凛凛的样子。它一面向前走着，还时不时地咆哮两声，似乎是告诫别的动物为它让路似的。人猿泰山早在能看到它之前，就知道它已向这里走来。但是泰山等到自己喝饱了之后，才站起来，带着他那特有的安闲风度和十足的尊严慢慢地踱着离去。

雄狮远远地看到泰山喝水时，竟不自觉地站住了，也许心里想着，是谁这样大胆，竟敢抢占兽王喝水的地方。它的嘴张着，两眼放出戒备的凶光，一边咆哮着一边慢慢向前走去。而泰山这时也同样发出几声咆哮，然后慢慢退到一边去。他注视着狮子身后的那条尾巴，而不是它的面孔。因为他知道，只要那条尾巴左右摇摆，突然向后伸直，而且神经质地弹甩两下，接着猛地又直又硬地向上竖起时，那么他对面的对手要么就该准备战斗，要么就要准备逃跑。但是目前看来，这两者都还不需要，所以泰山只是向后退了几步，而狮子也就自然地走到离泰山不到五十英尺的水边，只管喝它的水去了。

明天他们也许会真的拼杀起来，但是今天却都意外地处于只想休战的状态。狮子可能并不饥饿，而泰山也许因为有别的事占据了他的心头。其实这种互不相犯、各自走路的情形在丛林里也是常见的事。所以在狮子还没喝完水之前，泰山就在树上向另外的方向荡去，直奔黑人酋长孟格的村子。

泰山至少有一个月没有到过孟格村了。这并不是从泰山把蒂宝归还给他的伤心透顶的母亲时算起的，因为那次让莫玛亚感到意外的惊喜是在半路上发生的。泰山本来想找到一种对巴鲁的深刻的爱，就像娣卡对她的尕赞一样，结果在与小黑孩相处的经历中，却让泰山大失所望。似乎他们之间根本就无法存在这种感情。

事实上，泰山对小黑孩还存在着一层隔阂，这是因为他已习惯于把黑人看成杀害他养母卡拉的凶手。所以，黑人们许久以来就是他的死敌，而不是别的。不过自从他和小蒂宝接触以后，他对黑人产生了另外的一种感情。

当他到达孟格村时，虽然天还没有完全黑下来，他还是爬上村寨栅栏顶上的大树，趴在他常待的老地方。这时却从下面的村子里的一间路边的小屋中，传来一阵阵刺耳的嚎哭声。这声音使他很感烦躁，所以他决定先离开一会儿，等些时候这哭声就会停下来。但是，他虽然离开了至少有两个多小时，回来时这哭声却还在继续。

带着想强迫这噪音停止的想法，泰山从树上轻轻溜了下来，潜入地面的黑暗中。他借着一间间小屋的阴影，悄然无声地走向那间发出悲哀哭声的地方。在这间小屋的门口，也像别的村里小屋一样点着亮亮的一小堆火。有几个妇女蹲在火堆边，一边时不时地向火堆加点柴，一边也跟着屋里那位不停嚎哭的主人嚎哭两声。泰山看到这情景，不由得轻轻地微笑了一下，因为他忽然想到，如果他这会儿猛地跳到火堆边和她们面前，结果会是什么样子。他还想趁她们惊魂不定时，冲到屋里去警告一下那个嚎哭不停的妇女。然后在村里人还来不及冷静下来想办法对付他时，他就蹿回黑暗的丛林里去了。

泰山曾经多次像这样在孟格村里出现过。这在那些迷信的可怜黑人的心灵里，总是引起一种神秘莫测的恐惧。尽管他们也曾把泰山制服过，但每次都以奇特的失败告终，所以至今而言，黑人村里的男女仍然对泰山的不期而至感到惶惑和无法习惯。也正是这种捉弄黑人们所引起的兴趣和快乐，已经代替了为给卡拉复仇而杀死黑人所带给他的满足感，所以他现在老要想出种种不同的方法吓唬黑人，乐此不疲。

就在他要大吼一声，猛地跳到篝火边时，却看到从小屋里走出来一个黑人妇女。这正是泰山想要让她停止哭泣安静下来的那个妇人。她是一位鼻子上横插着一根小木棒，下唇上吊着一个金属装饰品，前额上刺了花纹的年轻妇女，只是她蓬乱的头发上沾着泥土和草屑，形成一种怪异的造型罢了。这时，火光一亮，泰山看出来她原来就是蒂宝的妈妈莫玛亚。而与此同时，断续跳动的火光，也时而映照出躲藏在暗处的泰山那棕色光亮皮肤的身影。莫玛亚一下子看到并认出了他，立刻大嚎一声向他扑去，泰山也迎着她走出来。至于其他的妇女，当她们转身看到泰山时，不约而同地站起身来，吓得惊恐地乱叫，又同时一齐飞跑而去。

莫玛亚扑到泰山脚前，向他做出一种恳求的手势，从她挂着饰物的嘴唇中吐出一连串泰山一点儿也听不懂的话语。有好一会儿人猿只是漠然地望着她。他本来是来行凶的，但是，这种带着非常痛苦的表情的话语，却使他发生一种或许可以叫作同情的感觉。这种感觉完全控制了他，使他既不能对小蒂宝的妈妈施行暴力以制止她刺耳的嚎哭，也无法继续倾听他无法理解的莫玛亚哀求的倾诉。他只好作了一个很快的决断的手势，表示他无法接受今晚这种让他极不愉快的接待，接着一个转身，纵身跳进黑暗里去了。不一会儿，他已荡行在黑暗的丛林之间，莫玛亚的哀哭声也逐渐消逝得听不见了。

当泰山终于走到一个再也听不到哭闹声的地方之后，他不由得喘出一口粗气，并且在一棵大树的上部找到了一根大粗树枝，使自己舒舒服服地躺在那里。尽管树下时不时地传来一头逡巡不去的狮子的咆哮声，泰山还是香甜地睡了一夜。与此同时，在伦敦的另一个格雷斯托克老爷，也在贴身男仆的服侍下，脱去长袍，蜷曲在他暖和的被窝里，就像躺在窗前的猫咪一样小声打着呼噜。

第二天早上，当泰山追寻着一头公野猪豪尔塔新鲜的足迹时，却遇到了一大一小两个黑人的脚印。人猿已经习惯了仔细审视和思考进入他感觉之内的事物。读者和笔者即使偶然遇到了这种事，可能也是思之茫然，但泰山却往往能从中发现很有意思的故事来。这里的潮湿泥土中，有许多的印痕，它们一条条互相叠压着，对于我们它们简直可以说是毫无意义，但对于泰山来说，却可能每一条都会告诉他一个故事。现在他能看到的有一行三天前的吞特大象的足印，狮子昨天晚上来过这里，而野猪不过是一个小时以前才从这条象路上慢吞吞地走过去，而让泰山更为注意的是黑人的足印。这些足印告诉他，昨天有一个老年人和一个小孩向北走去，而陪着他们的还有两条鬣狗。

泰山挠着他的头，一副苦苦思索的样子。首先，在这两个人足迹所到的地方，两条鬣狗总是一左一右地跟着他们。其次，他从小孩的脚印里，看出了这个孩子对那两头野兽总有一种恐惧感，时时显出为了躲开它们而表现出来的零乱的步伐。而那个老人却一点也没有害怕的征象，只是脚步稳健地一路向前。开始泰山光是一味地思考着那个老头和两只鬣狗的脚印，可是后来他忽然发现那个小孩的脚印有些熟悉，就好像他看见了一个朋友的亲笔书信一样。

“Go—bu 巴鲁!”他不由得喊了起来，而且很快就想起前一天晚上，在孟格村里莫玛亚扑到他脚前哀哀求告的样子。一瞬间一切都得到了解释。那个哀哀啼哭不已的妈妈，那几个坐在篝火边的妇女时断时续地同情地嚎哭两声和擦一擦眼泪，肯定是因为小蒂宝又被人偷走了!而且这一回弄走孩子的当然不会是他——泰山啦! 可是那位母亲可能认为正是他泰山又弄走了她的巴鲁，所以才跪在他面前向他苦苦哀求。

是的! 现在一切似乎都已清楚了。但是这一次是谁偷走了Go—bu巴鲁呢?泰山不由得奇怪起来，而更让泰山奇怪的是鬣狗脚印的出现。这些脚印只不过是一天以前的，它们一直向北走去，至今还清清楚楚的。他一定要弄个明白。泰山开始跟踪下去，有的地方这脚印完全被别的野兽脚印所掩盖，尤其是到了一些岩石上。即使这脚印没有被掩盖，就连泰山有时也辨不清楚，不过幸好人的气味却仍然能从一些脚印上闻得清楚，特别是对于像泰山这样受到丛林多年训练的感知能力来说，更是一点儿也逃不掉。

两天之内发生的一切，对于小蒂宝来说既突然又意外。首先是布卡瓦巫师，也就是那个不洁净的人，他脸上还带着参差不齐的小块烂肉，那一天突然出现在莫玛亚常常去洗身和给她的小蒂宝洗澡的小河边。他是从莫玛亚身后的一个大灌木丛里突然钻出来的。小蒂宝看到他，吓得连喊带叫地跑到妈妈的身边寻求保护。

“我来啦!”布卡瓦开门见山地说，“来要三只肥山羊、一领新睡席和一段大人胳膊那么长的铜丝。”

“我没有山羊给你。”莫玛亚斩钉截铁地说道，“也没有睡席，更没有铜丝给你。你没有施行过什么法术，蒂宝是丛林的白神亲自给我送回来的，你什么事也没有干过。”

“我干了。”布卡瓦用他那干瘦的下巴咕噜着说，“是我命令白色的丛林之神把蒂宝还给你的。”

莫玛亚不由得大笑起来：“瞎说!”她大声喊道，“回到你的脏窝里和你那两只鬣狗待在一起去吧！回去把你的那张烂脸藏起来，免得让太阳看见，不然他也会弄一片云彩把自己挡起来。”

“我来就是要要回三只肥山羊、一领新睡席和一段有大人胳膊那么长的铜丝，这是你在蒂宝回来之后就该给我的。”布卡瓦重复说。

“只有一个人的小臂那么长的一段铜丝!”莫玛亚纠正他说，“可是，你什么也得不到，老东西。你不是说过吗?我没把这些东西拿给你之前，你什么法术也不做，不是吗?我从你那里回村的路上，那个林中的白神就把蒂宝还给了我。而且是从一头雄狮的威胁下，把蒂宝救出来还给我的。他的法术和药是真正管事的东西，而你的是不顶事的药物和法术，用你的药先去治治你自己脸上的烂洞吧!”

“我反正是来要我的三只肥羊，”布卡瓦纠缠不休地重复说，“和……”

但是莫玛亚再也不想听他的唠叨，一把将蒂宝拖到自己怀里，抱起来转身就向有栅栏的孟格村寨走去。

可是，第二天当莫玛亚和部落里别的妇女正在芭蕉地里劳动的时候，布卡瓦又偷偷地来了。这时蒂宝正在田边的小树林里玩耍，他拿着一根小小的投枪不断地练习，想着自己将来也会成为一个羽翼丰满的武士，他忽然看见树干上有一只松鼠在向前跑，于是他举起小投枪向它掷去，他的小心灵里想象着他围绕着他的战利品跳舞的情景。可这次投枪不但没投中，反而向远处的灌木丛里飞去。不过从这灌木丛到难以进入的茂密丛林，还有一小段距离，而且妇女们还在附近的田野里劳动，那里还有武士们在周围守卫着，只要一喊，他们就能听到，所以蒂宝大着胆子向黑暗中走去。

谁知在藤蔓和枝叶编织的黑暗中，却隐藏着三个可怕的影子。其中一个是个老人，老黑人，他的脸部已经被麻风病腐蚀了几乎一半，尖利发黄的牙齿从连鼻子和嘴都分不清的洞里露了出来。而在他身边的是和他一样让人讨厌和害怕的两只鬣狗，真是物以类聚，都是吃臭肉的家伙。

蒂宝只管低着头向前走，穿过茂密的灌木丛，寻找他的小投枪。等到他看到布卡瓦那难看的脸时，已经太晚了。老巫师一下子抓住了他，用一只大巴掌捂住了他的嘴不让他喊出来。蒂宝再怎么也挣扎不脱了。

一会儿之后，蒂宝就被拖拉着进入了阴暗的丛林之中。老巫师继续捂着他的嘴不让他喊出声来，两只讨厌的鬣狗一会儿跑在前面，一会儿又跑在后面，不断地在周围逡巡往来，而且时不时地发出咆哮、嚎叫和难听的像是笑声的吼叫。

对小蒂宝来说，他所经历的一切是他这个年岁的儿童很少经历过的。向北走去的一路上对他来说，简直是一场噩梦。现在他才想起他的那个高大的丛林白神。这会儿他可是全身心地盼望着他能和那个白色的巨人待在一起，哪怕他们仍然和那些长毛的树居大猿们在一起，也不会比跟这个巫师和两头鬣狗同行更可怕了。

老头子巫师很少和蒂宝说话，尽管他一天都在咕咕噜噜地含糊地说着什么。蒂宝只能通过他反复含混的念叨探测出他在说着什么:肥羊、睡席和一段铜丝。在他不断的低声哼哼中说得最多的是:“十只肥羊,十只肥羊……”小蒂宝听得太多了,也多少猜得到这大概就是他自己赎金的价格吧!可是他可怜的妈妈又到哪儿去弄回十只山羊来?不要说肥的了,就是瘦山羊也不行!而且用十只山羊去换他这么个小瘦黑鬼？蒂宝这么一想不由得抽起鼻子来。没有十只肥山羊,这个烂了半边脸的老头没准儿就会把他杀了吃掉的。因为,十只肥山羊,他妈妈是怎么也难弄到手的。布卡瓦甚至会把他的骨头扔给这两只鬣狗。小蒂宝想到这里,简直就要瘫在路上了。布卡瓦只好一面抽他耳光,一面硬拉住他向前走去。

对蒂宝来说,他们真是走了好远的路,也过了好长时间,最后终于来到了两座小石山之间的一个洞口前。洞的入口处既低又窄，几棵小树干和粗皮条扎成的一扇小门用来阻挡不期而至的野兽。布卡瓦推开这扇小门,把蒂宝搡了进去。两只鬣狗也咆哮着窜进来,一直向里面的黑暗深处跑去。布卡瓦关上小柴门,拖着蒂宝顺着狭窄的石头通道向前走去。这里的地面相对要光滑一些,因为已被踏来踏去走过不知多少遍了。尘土已被踏实,石头地面也被磨光,只是两边的石壁仍旧凹凸不平,蒂宝的头和手臂等地方,总是被突出来的石壁碰肿或擦伤。布卡瓦却全然不管这些,就像一个在光天化日下走一段熟路的人一样,只管拖着蒂宝向里面走去。布卡瓦清楚地知道每一处拐弯和转角，就像一个妈妈熟知自己孩子的脸一样，而且他似乎走得异常匆忙。他拖着蒂宝的步履之快，与其说是必要的，毋宁说是故意的残忍。不过，作为一个被社会抛弃的、既有病又令人讨厌的老巫师，希望他有天使一样的仁慈也是不可能的事。老天似乎就没有给过他多少人类好的天性。结果命运使他成了阴狠、奸滑、残酷、充满了报复心的人。这就是布卡瓦——一个老巫师!

孩子们经常听到有关他的一些残忍的故事，特别是当他们的妈妈威胁他们要听话的时候，这些捕风捉影的事就被添油加醋地制造出来吓唬他们。如今这些过去被无意撒下的种子，都要在蒂宝身上得到收获了。黑暗、可怕的老巫师、浑身的碰伤以及对未来萦绕不去的恐惧，再加上那两头鬣狗，都使小蒂宝几乎要瘫痪在那里。现在他只能绊绊跌跌地被布卡瓦拖着向前走去。

最后，蒂宝终于看到从头顶上射下的一线模糊的亮光。转眼间，他们就来到了一间粗糙的圆形石室里，在它的顶部有一道裂缝，光亮就是从那里透进来的。两只鬣狗已经等在这里。当它们看到布卡瓦和蒂宝进来时，便鬼鬼祟祟地向他们走来，露出了满口的黄牙——因为它们饿了。它们径直向蒂宝走来，其中的一只直向蒂宝的腿咬去，幸好布卡瓦从地上抓起一根木棒，向它的身上打去，那只鬣狗发出一声尖叫，才跑了开去。它们一起躲到石屋的一角，在那里不断地咆哮。布卡瓦又向它们逼进了几步，尽管它们仍在咆哮，但显然布卡瓦对它们还是很有威慑力的。不过，当布卡瓦转身不再理它们的时候，那另外一头却又从他身旁扑向蒂宝。这孩子大叫一声，赶快躲到了巫师的身后。这一次布卡瓦大怒，他提着棍子连打带赶，把这只鬣狗一直赶到了远远的角落里去。但不一会儿这两只吃腐肉的畜生，又开始不断在屋子里轮流地窜来窜去，弄得它们的主人大发雷霆，也跟着它们跑来跑去地追打和拦截着它们。布卡瓦一边挥着棍子，一边骂声不休，使出了他所知道的一切恶毒的语言。有时它们中的一只甚至会站起来，对着布卡瓦扑去，这时蒂宝往往是吓得连大气也不敢出，因为在他的孩童生涯中，从来也没有见过这样的事。不过结局总是布卡瓦用棍子把它们打倒，它们也就夹起了尾巴，躲到石洞的一个角落里去。尽管它们还在时不时地乱吼乱叫着，但是畏怯显然已经代替了愤怒。

最后巫师终于对这种无益的追打感到疲劳了。过了好长一段时间，布卡瓦转身对蒂宝说：

"我现在就去向你妈妈要十只肥山羊、一领新睡席和两段铜丝。这是因为我施法术把你弄回来，你妈妈应当付给我的。"老巫师接着又恐吓他说，"你就留在这儿！"他指着那进口的长通道说，"我把鬣狗也留在那儿，你要是想逃跑，它们会吃了你。"接着他就放下棍子去招呼那两头畜生。它们果然一面摇着夹在两腿间的尾巴，一面伸出舌头舔着嘴唇，做出准备有好东西吃的样子。布卡瓦领着它们向通道那里走去，然后他拉过来一扇用小树枝编的篱笆门挡在身后，把它们隔开了。"这会儿把它们挡在外面。"老布卡瓦叮咛说，"如果我要不回来那十只山羊和其他的东西，它们至少会得到几块我扔的骨头吃。"说完以后，老巫师竟扬长而去，留下小蒂宝带着恐惧，猜想他这话的意思。

当他走了以后，蒂宝一下子跌倒在地面上，吓得一面抽泣一面胡思乱想。他很清楚妈妈绝没有十只肥山羊。所以当布卡瓦回来时，自己就会被杀死而且被吃掉。

他究竟这样待了多长时间，自己也说不上来，最后他终于被两只鬣狗的吠声所惊起。它们不知什么时候从通道的那面跑了回来，就从挡在石屋外面的小树枝门外瞪着蒂宝。蒂宝可以看到它们发着蓝光的眼睛一闪一闪地在黑暗中看着他。它们扒在那扇小树枝门上，不时地用爪子抓搔着门的空隙。蒂宝吓得一直躲到了石屋对面的墙边去。他看到那扇小树枝门已经开始倾斜，有时他甚至认为用不了多一会儿，它就会在这两头畜生的攻击下向里面倒掉，接着那两头畜生就会向他扑来。

充满恐惧而无聊的时光真是难熬。夜晚降临了，蒂宝不由得睡了过去，但那两头饥饿的畜生却一点也没有睡意似的。它们经常跑到小树枝门外，咆哮和吼叫一阵，表示它们现在饥肠辘辘。从石洞顶部的缝隙间，有时蒂宝可以看到天上的几颗小星，有时也可以看到从缝隙里移动过去的月亮，最后晨光又从缝隙里透了进来。蒂宝既饿又渴，因为他从昨天早上起就再没有吃过一点东西了，只是在昨天到这里来的漫长旅途中，老巫师让他喝过一点水。不过即便是饿和渴，也都在不断的恐惧中被他几乎完全忘记了。

正是因为有白天的亮光照射了进来，孩子发现石室的墙壁上还有另外一条大缝隙。它正好在不断吼叫的两条恶狗对面。它也许会领他进入另外一间屋子，也许它还是另外一个出口呢!蒂宝向它走去，并向里窥测了好一会儿，可是里面黑得什么也看不见。他把手伸进里面去，但什么也摸不着。他不敢向里再去冒险，他的理智告诉他布卡瓦绝不会给他留下逃跑的通道。所以他相信要么这里哪儿也不通，要么就可能通往一个什么更危险的地方。

除了布卡瓦和面前的这两条恶狗，在蒂宝的小脑子里还设想了种种更可怕得不可名状的画面。因为在黑人中流传着许多迷信的故事。无论是白天还是黑夜的丛林里，据说都有说不清的比猎豹和狮子更神秘的鬼怪以及不知名的毒虫、蛇类等等。这是黑人母亲为吓唬孩子编出来的东西。

所以，蒂宝不但害怕那两条恶狗的狂吠和嚎叫，还有那些他能想象出来和想不出来的鬼怪。就算他能逃出这里，路上种种可能遇到的危险也使他胆战心惊。现在种种想象都随着白天的降临而被现实的恐惧所代替。因为那两只鬣狗趁主人不在，到了白天又有精神来吵闹了，尽管它们还很饥饿，但是仍有对付小蒂宝的力气。它们跳起来扑在小树枝做的门上，用力晃动它。蒂宝睁大了眼睛瞪着它们，眼看着那扇小门摇摇欲坠的样子。他知道用不了多久，这扇门在这两只凶恶鬣狗的不断攻击下，就会倒下来。而现在有一角已经离开挡住它的那点突出不平的岩壁，向里面倒进来，鬣狗的一只毛茸茸的爪子正伸进来。蒂宝不由得颤抖起来，他觉得他很快就要完了。

他紧贴着后墙站着，尽可能地远离那两条凶狗。他看到从那个树枝做的小门缝里已经伸进来了一只凶狗的脑袋，向他张着嘴不断地咆哮和狂吠，也许用不了一会儿，那扇可怜的小门就会被它们向里挤倒，这两个家伙就会向他扑来，撕扯他的肉和骨头，为争夺他的一点遗骸而吵个不休。

布卡瓦来找莫玛亚，正好和她在孟格村的栅栏边相遇。莫玛亚看到他，不由得憎恶地向后退了一步，接着又奋起向他扑去。布卡瓦只好伸出他手中的长矛挡住她，不让她走近。

“我的孩子在哪儿?”她喊叫说，“我的蒂宝呢?”

布卡瓦故意睁大了眼睛，装出惊讶的样子。“你的孩子?”他大声说，“我怎么知道，我不是从丛林白神那里给你要回来了吗?你还没有付给我东西呢!我是来要那几只山羊、一领睡席和一段大人的手臂那么长的铜丝来的。”

“要什么东西?我这里只有鬣狗屎给你!”莫玛亚尖叫说，“我的孩子就是你偷走的，就是你这一堆烂肉把他偷走的。把他还给我，不然我就把你的眼珠子抠出来喂野猪。”

布卡瓦不以为然地耸了耸肩说：“我怎么知道你的孩子?”他故意说道：“我没有偷走他。如果他又一次被偷走了，布卡瓦凭什么就该知道这件事?上一次是丛林白神偷了他去，那么这一次还是他把他偷走了。布卡瓦和这件事没有关系，我来是要上一回我施法给你弄回来你的孩子你该给我的报酬的。要是这一次他又被弄走了，那么你要我把他弄回来，就得付我十只肥山羊、一领新睡席和两段有大人从肩膀到手指尖那么长的铜丝。如果这一回咱们达成了交易，那么头一回你该给的那点东西，我也就可以不要了。”

“十只肥山羊?!”莫玛亚大喊起来，“再等多少年我也没法给你十只肥山羊，十只肥山羊我绝对没有。”

“十只肥山羊，”布卡瓦坚持说，“一领新睡席，还有两段长长的……”

莫玛亚用一个不耐烦的手势打断了他的话。“等着!”她大声说,“我没有羊,你白费口舌。你待在这儿,我去叫我的人来。他也只有三只山羊,也许还能想点别的办法。你等在这儿!”

于是布卡瓦找了个树荫处坐下来。他觉得非常心满意足,因为他认为这一次他既会要到东西,又解了恨。尽管他知道这一个部落的人们对他又讨厌又憎恨,但又有些怕他。浑身的麻疯病就是他最好的保护伞,更何况他还是个有名的巫师,就更没有人敢动他了。他计划着如何逼迫他们给他十只肥山羊,并把它们送到他的洞口。就在这时,莫玛亚回来了,和她一起的还有三个武士,一个是村长孟格,一个是本村的巫师拉巴凯加,还有蒂宝的父亲伊贝托。就一般的情况说来他们都不是多漂亮的人物,再加上他们个个都是一脸的怒气,更有点儿不太好看了。在平常人看来他们无疑都有点儿叫人害怕,只是布卡瓦一点儿都不在乎。他只向他们一般地打了打招呼,而且显然带些轻慢无礼的态度。接着,这几个人就在他面前围了个半圆形的小圈蹲下了。

“蒂宝在哪儿?”孟格村长直截了当地问道。

“我怎么知道?”布卡瓦回答说,“准是丛林白神把他弄走了。要是给我报酬,我会施行强有力的法术,我们会知道他在哪儿,并且让他把蒂宝送回来。上一次就是我施法叫他送回来的,但是那个女人却没给我报酬。”

“我们自己有会施法的巫师。”孟格严肃地回答说。布卡瓦冷笑了两声,然后抬脚就走。“那好!”他一面做出要走的样子一面说,“就让他施法看看能不能把蒂宝弄回来。”他向前走了几步却又转回身来生气地说:“他的法术绝不能把蒂宝弄回来,这我知道得清清楚楚，而且我还知道待到你们发现他时，也许已经太晚了，他已经死了。这是我姑姑的灵魂刚才来通知我的。”

孟格和拉巴凯加对自己的法术没多少把握，对别人的法术也免不了持怀疑态度。可是他们也不敢说布卡瓦的法术绝对不准，不是说他的那两只鬣狗就是魔鬼的化身吗?据说他还真的能和鬼魂交往呢!即便这样他们也不肯一下子就同意布卡瓦说的一切。何况这里面还有那么大的代价要考虑。用十只肥山羊换回一个小孩子，这孩子可能在还没有成为一个强壮的武士前就得天花这类病夭折了呢，那不是太划不来了吗?

“等一等，”孟格想了想说，“先让我看看你的法术再说，看它灵不灵，然后我们才能谈报酬的事。我们的巫师拉巴凯加也要施一些法术，我们会看到谁的法术更灵。坐下吧，布卡瓦!”

“报酬一定是十只肥山羊、一领新睡席和两段有大人胳膊那么长的铜丝。这些都要先付清，而且羊还要牵到我的洞门口，然后我才施法，孩子在第二天才能回到他妈妈身边。这种安排不能再快了，因为施这种大法需要时间。”布卡瓦又不依不饶地□唆了一阵。

“那么你先让我们看一看你的身手吧!”孟格说，“先看一点你的小本领。”

“拿点火来，我先给你们露一手。”布卡瓦回答说。

莫玛亚被派去取火了。她走了以后，孟格就和布卡瓦讨价还价起来。孟格说十只山羊对于换一个强壮的武士来说，这价钱也是太高了，而且，他还提醒布卡瓦说，他并不是一个富有的酋长，他的村民们更不富有，不要说十只山羊，就是八只也是太多了，更不用说还有新睡席和铜丝了。但是布卡瓦却坚持说，这种法术花费太大，因为首先他就得付给帮他施法的魔鬼五只山羊。就在他们争论不休的时候，莫玛亚取火回来了。

布卡瓦从火盆里取出一点火炭放在地上，然后从身旁的小袋子里拿出一小撮粉末来撒在上面，接着就有一股烟喷了起来。布卡瓦闭上了眼，身体摇晃起来，两手做出向空中乱抓乱舞的施法样子以后，就装作昏了过去。孟格他们看了布卡瓦的这一套手法，不免大吃一惊，尤其是拉巴凯加更有点紧张，他觉得自己过去弄的法术远没有布卡瓦的这一套高明。幸好他偷眼看到莫玛亚拿来的火盆里还有一点火炭，于是他趁大家都不注意的时候，抓了把草叶子扔了进去，然后赶快把两手罩在火盆上，装出作法的样子，并向盆里吹了两口气，于是那里竟也有一小股烟冒了起来。村里几个人转过身来看见拉巴凯加的法术，也惊讶不已。等那点草叶子烧得成了灰时，拉巴凯加又手舞足蹈起来，装出如醉如痴的样子，最后又把脸贴近火盆，嘴里念念有词，好像对盆里的精灵说话似的。

就在大家都看着拉巴凯加捣鬼时，布卡瓦也从装出的昏迷中醒了过来。他的好奇心使他恢复了理智，怎么没有人注意他？他微微睁开了一只眼，终于看明白大家正注意着拉巴凯加呢!他生气地大叫了一声，等到发现孟格他们都转身来看他时，他就装作手足抽搐起来。

“我看见他了。”他忽然大声喊着说，“他在很远的地方。那个白神没有看守着他。但他正自己一个人处在危险中，太危险了!不过……”他继续说，“要是把十只肥山羊和那两样东西立刻给我，那他还有救出来的希望。”

拉巴凯加也停下来听布卡瓦的讲述。孟格这时已不知如何是好，于是转身问拉巴凯加说：“你的魔法是怎么说的？”他也不知谁的法术高明，所以才这样问拉巴凯加。

“我也看见了他。”拉巴凯加只好大声说。他揣摩着孟格所希望听的话说：“不过他不是在布卡瓦说的地方。他已经淹死在河底了！”

一听这话，莫玛亚立刻大声嚎哭起来。

泰山随着黑老人、两头鬣狗和黑小孩的足迹，终于来到了小峡谷中的山洞口。他站在布卡瓦弄的小树枝编的栅栏门前仔细听了一小会儿。他听见在洞的深处传出来隐隐约约的咆哮和吼叫声。可是混在这动物的吼叫声中，他忽然也听到了一个孩子的哭喊声，一种悲痛的伤心的哭声传入他灵敏的耳朵中来。泰山再也不能迟疑。他一把扯开那张小破门，跳进了黑漆漆的通道。通道里既黑又窄又凹凸不平。但是习惯于在黑暗的丛林里生活的泰山，却从儿童时起就练出了在这种情况下具有的超常视力。

他小心而迅速地向前走着，因为这里既黑，又陌生，并且弯弯曲曲。他越向前走时，听得就越清楚：有两头鬣狗不但在咆哮吼叫，还用爪子在抓什么木质的东西。而那个儿童哀哀的哭声也越来越清楚了——这不就是他一度想收养的那个黑人小巴鲁的声音吗？他十分确定。

人猿泰山向前走着，但并不过分激动，因为他在过去的生活中，已经太习惯于丛林中生生死死的变化了，可是战斗和拼杀却仍使他感到很刺激。他毕竟还有一颗野蛮的心，它急切地跳动着让他去迎接厮杀。

在石屋的深处，小蒂宝正蜷缩在最里面的墙根儿下，他的对面就是那两只正在用力扒门的鬣狗。他能感觉到那扇可怜的小门已经摇摇欲坠了，他相信用不了多久，他的身体和生命就会被这两只讨厌而凶恶的动物的黄獠牙撕扯得粉碎。

终于，在一阵凶猛的冲击下，那扇小树枝做的栅栏门向里倒了，摔在地上。那两只吃肉的动物也窜了进来。小蒂宝看了它们一眼，就把脸藏在两手中间，吓得大哭起来。

有那么一小会儿，两只鬣狗停在它们的猎物面前，小心警惕地看着那个痛哭的娃娃，然后才试探着伏下前身一点点向前挪动。就在这时，泰山猛地窜进了这间石屋，虽然他脚步轻捷无声，也无法避开这两只鼻子灵敏的野兽，它们立刻丢下那怕得要命的孩子，转身向泰山狂吠起来。泰山看着它们发狂的样子，轻蔑地笑了一下，就向它们走去。这时其中一头鬣狗跳起身来向泰山扑去，泰山让过它的尖嘴，一把抓住了它的脖子。好像人猿不屑于对这两个家伙动用他的猎刀，所以，只把抓住的鬣狗用力一甩，就甩到石屋外面去了。那鬣狗一面哀哀嚎叫着，一面向洞外逃去，它的伙伴自然也就赶快跟着逃了出去。

伏在地上哭泣的孩子觉得是人的手而不是狗爪子搭到他背上时，他抬起头睁着一双大圆眼向上看去，原来竟是那个他已经熟悉了的白色的丛林之神。他惊喜地向这个老恩人伸出了双手，泰山也一点儿不迟疑地把小蒂宝从地上拉起来扛到了肩上。

当泰山来到洞口时，那两只鬣狗早已逃得踪影全无。于是他们走到附近的一条小溪边，泰山让渴得要命的小蒂宝喝了个够。

然后他又把蒂宝放到肩上,大步流星地向丛林深处走去。他发现小蒂宝的时候,已经明白莫玛亚嚎哭和向他乞求的原因,这时他一心想着赶快让还在孟格村嚎哭不已的莫玛亚早点放下心来。在上次与小蒂宝相处的一段时间里,以及后来把蒂宝还给莫玛亚时,他已在不知不觉中与她们母子建立了一种"人类"的感情了。

"他绝没有死在河底!"布卡瓦大声喊叫着说,"他懂得什么法术?他是谁?他怎么敢说布卡瓦的法术不对?我看到了莫玛亚的儿子,正在远处一个很危险的地方,赶快拿十只肥山……羊……"他说到这里就再也说不下去了。因为这时从他们蹲着的地方正上方的树上掉下来了什么东西,使他们大家都目瞪口呆和胆战心惊,原来这正是那位他们都知道的丛林白神。不过在他们准备拔脚逃散之前,他们在白大神的肩头又看到了一张孩子的脸。他原来就是丢掉的小蒂宝,他满脸是幸福和快乐的笑容。

泰山把蒂宝从肩上抱下来,推到他妈妈莫玛亚的面前,对其他的黑人好像根本就没看见似的。这时伊贝托、孟格甚至拉巴凯加都围住小蒂宝,抢着问个究竟。不用说转瞬间莫玛亚就要找布卡瓦算账了,因为小蒂宝已经三言两语地说明了原委。不过,布卡瓦一见到泰山带来小蒂宝,知道事情不好,就溜之大吉了。这会儿他已经在丛林里拼命地迈着他的两条老腿,向远处他的老窝逃去。他知道只有那里,黑人们是不敢随便去的。

"喂!不是说我的小蒂宝死在河底了吗?"莫玛亚冲着村里的那个逃不掉的巫师大喊道,"还说他在远处的什么地方,非常危险呢!那个烂脸不就是这么说的吗?哼!法术!"现在莫玛亚把她的愤怒都集中到这一个名词上来了，“法术?当然喽，你们的好法术!现在莫玛亚也要显一显自己的法术给你看看!”说着，她随手捡起一根断树枝，狠狠地向拉巴凯加打去。村里的这位巫师痛得大叫一声转身就跑。莫玛亚追着他沿着村中的路，经过各个小屋的门口，边打边骂个不停地数念着他那胡说八道的法术。村中的武士、妇女和孩子都带着很大的兴趣看着这一场少见的热闹，尤其因为过去有村长的支持，他们中那些受过巫师的欺骗和讹诈的人们更看得开心。

这样一来，人猿泰山就在不知不觉中又得罪了他的两个仇敌，更增加了他们对他的愤恨。这天晚上，他们两个都到很晚还没睡，都在计划着如何报复丛林白神。只是他们一边想着复仇的方法，一边却又对白神的神力充满了恐惧和惊怕。

人猿泰山，也就是年轻的格雷斯托克爵士，自然是一点都不知道他们的阴谋和对他的复仇心态的。即使他知道了，也不会拿酋长和巫师当回事。他今晚也像往常一样睡得非常香甜，而且因为白天办成了一件让他高兴的事，甚至更香甜一些。尽管在他睡觉的大树上，既没有门也没有屋顶能挡住可能的入侵者，但他还是习惯了这环境。他睡得也比他英国高贵的亲戚——堂兄弟更安然。虽然这位亲戚这会儿正吃了晚餐，多吃了几只龙虾，还喝了些酒，醉醺醺地睡在锦缎包裹的床褥里。

七
布卡瓦的末日

当泰山还是一个孩子的时候，他就逐渐从对日常事物的学习中,学会了用丛林里的长草编制出一条条柔韧的草绳来,泰山编出的绳索既软又结实。有关这个小人猿草绳的故事,泰山的养父(也就是泰山养母卡拉的丈夫)一定会对此唠叨出许多东西来。要是有谁肯将一把肥甲虫送给它，那一定会引出它滔滔不绝的对泰山和他那根可恨的绳索的种种故事。往往是一提起这根绳子和小泰山,托勃赖就免不了越想越气,越说越气,最后说不定会找到谁头上大发一顿脾气,总之会使听故事的人不欢而散,甚至逃之夭夭。

泰山的这根像蛇一样的绳子经常会不期而至地落在托勃赖的头上。碰到这种时候,这个大公猿就很难轻易地逃脱一场恶作剧。所以,对于它的这个白皮肤的养子,在它的心里绝难引起什么“爱”的情感。更糟糕的是,有时正当托勃赖闲游在丛林里的时候,那条讨厌的绳索忽然就套在了它的脖子上,而且紧得仿佛死神就在它眼前向它招手，这时泰山却在它的面前不合时宜地又是跳舞又是做鬼脸。不过也有那么一两次,这根绳子担任起了一种卓越的角色,它让托勃赖一想起来就觉得特别解气和高兴。事情是这样的：

泰山有一颗特别活跃的脑瓜，那里面经常会产生一些大猿们怎么也想不出来的想法。这些想法有时挺好玩，有时就很危险，从中他也学到了不少东西。当然，结果有时也令泰山自己惊奇不已，甚至会出一身冷汗。有一次泰山想用绳圈套高处树枝上的一只同伴小猿，可那绳子却意外地挂在了一根突出来的粗树枝上。泰山想把它抖下来，但它越抖越紧，于是泰山只好顺着绳子爬上去想把它解下来。就在这时，有一只在地上玩耍的小猿发现了地上拖着的另外一端的绳头，于是把它捡了起来向远处跑去，等到绳子绷紧到它再也拉不动时，它就随着绳子收回来的力量又跑回来。这样一来，就把吊在绳子半中腰里的泰山弄得在空中悠来荡去。这件事的结果却让小泰山无意间发现了绳子的一种新用法，他忽然意识到这是非常好玩的事。只是这绳子离地面还不够高，还不能予小泰山以足够的刺激。所以，他就爬到树上把这根绳子解下来，又爬到更高处找了一根更粗的树枝再系牢，于是泰山就有了一根可以荡得更高更远的、像文明社会里的秋千那样好玩的东西了。接着他又发现他还可以蜷起身体来使自己荡得更高更远。就这样他在树上玩得越来越高兴，而喀却克族的大猿却在树下看得惊奇不已。要是我们，绝不会像泰山那样荡得尽情和不知疲倦。不过对泰山来说，这却是一个怎么也玩不够的新玩法。

这时托勃赖也像猿族里的其他大猿一样，在下面惊奇地观望着。与别的大猿不同的是，它不像别的大猿那样对此感到敬佩不已，它只觉得这个皮肤没毛的小白猿让它憎恨，并希望泰山会遇到什么不幸。就在这时,让他高兴的事意外地发生了。

泰山荡得越来越远、越来越高,绳子与树皮间的摩擦也越来越厉害,这终于使它突然断裂了。此时正是泰山玩得忘乎所以的时候,他完全没有注意到将会发生的事,这个猝不及防的意外,把他远远地抛到了林边的一处草地上。泰山像一颗甩出去的大石子,被抛出去足有四十码远,扑通一声仰面朝天跌进了一处灌木丛。这一下可让托勃赖高兴得跳了起来。在所有的大猿中只有一个惊慌失措,这就是小泰山当时的养母母猿卡拉。可爱的卡拉曾经亲身经历过它的亲生小猿从高处跌下去丧生的惨剧。这虽然是好几年以前的事了,但它仍然记忆犹新。难道这一次它又要像上次那样失去这个可爱的小白猿吗?等到它找到小泰山时,他正静静地躺在深深的灌木丛里,一动也不动。卡拉费了好一会儿工夫才把他从乱树丛里抱了出来,这才发现他没有死,甚至也没有跌断手脚,灌木丛减轻了小泰山跌落的重力。不过一根稍硬的树枝划伤了他的后脑,使他暂时失去了知觉。

过了一小会儿小泰山又恢复了知觉,而且很快又像从前一样活泼起来。这当然得归功于卡拉随时随地的精心照顾和抚摸。但是,这却惹得托勃赖很不愉快。它气得转过身不分青红皂白就在旁边的一头大猿身上咬了一口,借以发泄不满。不过糟糕的是,这头被咬的大猿是一头比托勃赖力气还大的公猿。这一下托勃赖可倒霉了,后果自是不言而喻的了!

从这一次事故中,小泰山又学到了一点新的知识和技能,他知道了不断摩擦他的绳索会造成什么结果。可是,他也知道了借助这根草绳的力量,他不仅可以游戏,而且可以在空中荡得更高更远。终于有这么一天，这根曾差点使他摔死的草绳反而救了他的性命。

泰山这时已经不再是小孩子，而是一个丛林中强壮有力的男人了。现在再也没有人热心地去照料他了，不过他也不再需要照料。他的养母卡拉已经被黑人用毒箭射死了，托勃赖也死了，去见它的上帝去了。这世界上再也没有像卡拉那样关照他的人了，但是在喀却克族中讨厌他的大猿却还有一些。这并不是因为他比它们更加野蛮和残暴，相反他倒是比它们要温和得多。这多半是因为这些个大猿最缺乏的就是人类特有的幽默感，往往泰山只是跟它们开个小玩笑，却惹得它们大发脾气。但是所有这些都不妨碍泰山仍然生活在喀却克族中，他与大猿们有时会发生龃龉，过一阵也就和好了。这些大猿往往健忘得很。不过他和布卡瓦如今发生的矛盾却让这个巫师怀恨在心，永远也不能释怀。

泰山对布卡瓦并没有什么敌意，只是这个住在两座土山之间洞穴的布卡瓦十分忌恨泰山罢了。因为只差一点儿，他就在孟格村的黑人中树立起征服人猿的威信来了。他想找到向泰山报仇的机会，但好几个月过去了，泰山总是在丛林里另外的地方活动，一直没有到靠近土山的丛林边缘来过。他的活动地点距布卡瓦的洞穴不知有多远。只有那一次，泰山将他眼看就要到手的肥羊弄跑了，而且在孟格村的黑人面前戳穿了他的谎言，使他的法术在村人那里永远丧失了魔力。因为这一切布卡瓦是绝不能宽恕泰山这个丛林之神的。而且他相信泰山也不过是一个人，一个他听说过的一种白人中的一个特别的白人罢了。但时至今日，布卡瓦报复泰山的机会看来还遥遥无期。

现在这个机会终于来了,而且完全出人意料地来了!

远离开他的喀却克部落,泰山向北方狩猎而去。这种习惯是他慢慢成年时逐渐养成的。他童年时的小伙伴远比他成熟得早,如今他们不是生儿育女,就是成为一个脾气恶劣的公猿。那些有着可爱婴儿和小猿的母亲,对不是自己的公猿的泰山变得特别敏感而多疑,它们一心保护自己的巴鲁,是谁也不易接近它们的。所以泰山在喀却克族中很难找到自己的伴侣了,这也是他时不时外出远游的原因。

这一天,当泰山正外出狩猎时,天空阴云密布,风暴把云片撕得粉碎并疾速地从树顶上掠过,云片就像被狮子追赶的一群惊起的羚羊。尽管乌云如此飞快地疾驰于天空之中,但丛林中的一切却显得反常的寂静。丛林一动也不动,就连树叶也纹丝不动,就像沉重的死亡已经把它们压垮了似的。连小甲虫也好像感觉到一种巨大的危险即将降临,更大的生物更是如此。这样一种丛林中的沉寂也许是远从人类未在地球上出现时就有过多少次,一种暴风雨前的寂静。那时并没有人知道和理解这种沉静,因为那时世上根本不存在一个万物之灵——人类的耳朵去倾听这一切。

此时天空正阴云翻滚,泰山对这种景象以前不知已经看过多少次了,但是他仍在这种可怖的天气来临时产生了一种异样的感觉。他并不知道恐惧,但是在这种力大无比的自然景象面前,他只有一种无能为力的感觉。他觉得自己非常渺小,而且孤独万分。

这时从远处传来了一声低沉的怒吼。泰山听了自言自语地说:“狮子正在觅食呢!”说着他又抬起头来看了一眼飞快翻滚的乌云。这时那低沉的咆哮声变得越发震耳欲聋起来。“它们来了。”泰山仍然对自己说,但不知他是指狮子还是指暴风雨。这时他跳向一处树叶浓密的大树,那里的一根根树枝都像上帝伸出来专给他遮风挡雨的胳膊和宽厚的手掌。

“它们来了!”泰山悄声地说,“狮子们来了!”

就在这时,一道刺眼的闪电光亮划过天空,接着就是一声霹雳,然后又响起了滚滚雷声。

“狮子在扑向它们的猎物呢!”泰山大声喊叫着,“它们正踏在猎物血肉模糊的尸体上怒吼呢!”

大树这时不分方向发狂地摇摆起来,一阵阵暴风无情地卷来扫去,夹在它们中间的是瓢泼般的大雨。这并不像是我们北方的大雨,却更像是一场汹涌澎湃的大洪水。

“这是喷溅出来的鲜血。”泰山不由得这样想到。他在寒冷的狂风暴雨中抱紧了双臂,躲藏到更深更密的树荫里。他这时正处在大丛林靠近边缘的位置。要不是由于阴云和暴风雨,他本来是能看到丛林外远处的两座小山。泰山这时很喜欢张望外面的天地,因为他想象着这场倾盆大雨会把外面世界的一切洗刷成什么模样。不过他知道眼前的大雨总会停下来,太阳也会出来,大地依旧,只是地面上将多出些被暴风雨扫掉的残枝败叶。它们无疑会最终变成腐殖质,使这块千万年来几乎无人问津的土地变得肥沃。现在在他的四周不断地飘落下来一些树木和枝叶,所幸他有身边这棵巨树的遮挡。可是他万万想不到的是,就在这时一道闪电划过,他身边这棵大树的一根最大的粗枝竟被劈了下来,正好砸到他的身上。当雨住风停，太阳又出现在空中，天光也大亮时，泰山却直挺挺地躺在被砸倒的地方。他的脸深陷在本来是遮挡他的那棵大树的残枝败叶之中了。

雨后，布卡瓦来到他的洞口观看景色，此时暴风雨早已过去。布卡瓦只有一只眼睛好用，不过即便他有再多的眼睛，也无法欣赏雨后丛林那清新甜美的景色，因为这一切好像和他脑子里的化学成分不相协调似的。此外，即便他有一只灵敏的鼻子——可惜它已烂掉多年了——他也闻不出和享受不了丛林经过雨水冲洗后的清凉芬芳的气息。

在这个麻风病人的两侧，他的一对鬣狗却在空气里嗅来嗅去。其中的一只突然嗅出了什么味道，发出了一声低吼，伸长了脖子向丛林方向跑去。另一只也跟了过去。这引起了布卡瓦的好奇心，于是他也提了一根大头棒向丛林走去。

鬣狗们在离倒卧在地的泰山还有好几英尺的地方停了下来，一面嗅着一面咆哮，然后布卡瓦也走了过来。一开始他简直不能相信自己所看见的景象，但是当他走近时进一步认出，那躺着的正是他日夜想报复的那个丛林白神。他有一种莫名的怒火，因为他害怕自己的复仇计划实现不了啦!

两头鬣狗露出獠牙向泰山冲去。布卡瓦嘴里吐出了一串口齿不清的喝阻，一面挥动着大头棒狠狠地向鬣狗打去。两个畜生哀叫着向后逃去，尽管它们似乎心有不甘，但是长期对它们主人淫威的屈服，使它们不敢不顺从布卡瓦的指挥。它们逃出了好几码远，就都停下来，卧伏在地上观望着布卡瓦的行动。布卡瓦期望泰山还活着，以便实施他的复仇计划。

布卡瓦走到泰山身边,伏身到他胸前仔细地听了一阵,啊!那颗心还在跳呢。布卡瓦丑陋的脸上不由得露出了一丝狞笑。当然这狞笑在布卡瓦的脸上就更加难看了。

泰山的身边就放着他的那盘绳子。于是布卡瓦拿起它,把泰山松软无力的两手捆到背后,然后把他撂到了自己的肩上。别看布卡瓦又老又病,但他还是一个很有力气的人。

当布卡瓦扛起泰山向山洞走去时，两只鬣狗也跟着它们的主人向前跑去。人和两只畜生穿过洞里的一条长通道,最后布卡瓦把处于昏迷的俘虏丢进了通道尽头一个露天的坑内。这条通道弯弯曲曲,黑暗无光,布卡瓦扛着泰山难免脚步踉跄,走了好长一段眼前才慢慢明亮起来。此时,布卡瓦已走进一个露天的小圆坑内。这里显然是一个小小的火山坑,它陡峭的火成岩的石壁使它与外界隔绝,只有通过这一条通道才能到达这里。这个小小的火山口显然是与世隔绝的,因为向上大约有一百多英尺,才是它那参差不齐的山口，再上面才能看见更高处露出的一小片蓝天。

布卡瓦把泰山放在坑内的一棵小树旁,让他靠在那里,然后用泰山的草绳将他在树上捆了个结结实实，只让他的两手可以活动,却够不到放在远处的绳扣。两只鬣狗在周围跑来跑去,一边闻着嗅着,一边咆哮着。它们憎恨布卡瓦,布卡瓦也讨厌它们,但它们和他又是互相依赖。布卡瓦知道它们只是等待他最后孤立无援时的落井下石,说不定有一天他连大头棒也举不起来时,它们对他绝不会客气留情的。

现在,他对这两个畜生一点儿也不害怕。因为他知道这两只畜生无情无义，所以他手里既有大头棒，又时时以食物喂养它们，且常为它们猎取食物，尤其当它们自己找不到可吃的东西时。对于这种只能吃大动物留下的腐肉的畜生，布卡瓦真可说是恩威并施。布卡瓦从它们还是小狗时起，就养着它们。所以它们也不大知道还有别的主人，即使它们出去找一会儿食物，最后也还是会回到布卡瓦这里来。

布卡瓦把泰山捆绑结实以后，就转身走回了通道里，还把两只鬣狗赶到自己的前头。然后他找来原来挡在山洞口的一扇树枝编的门，把通道挡了起来，就弄水去了。

不一会儿，布卡瓦就带回了一罐水来。在洞外就有一条小溪潺潺流过，所以没用多久他就回来了。这时两只鬣狗正坐在树枝门外，冲着里面的泰山伸出贪婪的舌头，等待布卡瓦分给它们什么可吃的东西。

巫师拿着水走近泰山，把罐里的水朝泰山脸上泼了一些。泰山受冷水一激，慢慢睁开了眼睛，而且向周围看了一下。

"见他妈的鬼!"布卡瓦喊道，"我就是那个最伟大的巫师，我的法力高强，你算个什么!要不，你怎么会像一头吸引狮子的羊饵被捆在这里?"

泰山根本听不懂巫师说的是什么，他只是一点也不胆怯地冷峻地平视着巫师，一句话也不说。他也听到了鬣狗的狂吠，但对它们他连看也不看一眼。泰山是一个有着人类头脑的野人，不管是兽性还是人性都使他面对死亡无所畏惧。

布卡瓦当然不想现在就把他的俘虏交给鬣狗们。因此，他抄起手边的大头棒把两个畜生赶开。这一番打斗真是好看，泰山也借此明白了巫师和他的鬣狗之间这种相互依存又相互敌视的关系。

布卡瓦赶开鬣狗们之后，又来到泰山面前。他却发现泰山对他所说的竟一无所知，最后巫师只好断了向泰山说明白什么的念头，退回到他的洞里去，把那扇树枝门拉过来挡住了进口。然后，他拉过睡席，躺到上面，斜着眼看着他的俘虏，沉浸在一种报复的快乐之中。两只鬣狗时不时地到门边张望一下，嗅来嗅去，想冲进去却又无法推倒挡在进口的树枝门。泰山试着用力绷断捆绑他的绳索，可是最终他明白了，绑他的绳子原来正是他自己编了来对付努玛的，它的结实程度泰山自然了解得一清二楚，这条绳子会像绑一头狮子那样把他自己绑牢。他并不想死，但是他似乎也像过去多次经历过的那样，又一次面对着死神，只是他已经习惯了面对这个家伙而毫无惧怕之意。

泰山无意中发现当他挣扎时，那根绳子竟可以在小树干上活动摩擦。像是一幅突然出现的电影画面从他陈旧的记忆库里映现出来一样，他记起了多少年以前那一次，在他发明的荡绳游戏中，他的草绳被大树的粗皮磨断了，因而把他摔出老远的事情。泰山不由得微笑了一下，立刻就开始干把绳子在背后的小树干上摩擦起来的活儿。

两头鬣狗逐渐在老巫师不理不睬的神态中获得了一点勇气，竟敢一点点放肆起来，试探着向泰山伸到门边的脚扑来。幸而泰山的两只手还可以活动。每当它们扑上来时，泰山的两只手还可以把它们暂时挥开。但是泰山知道饥饿终归会使它们不断地向他发起进攻的，它们最终会沉着而颇有智谋地向他扑来，它们绝不会放弃。因此泰山的两只手不断地找机会在小树干上摩擦捆绑他的草绳。

老布卡瓦扛着泰山走了好长一段路，到底是累了。他于是守在那个露天小坑——火山口和通道之间的进口处，把两只鬣狗赶到树枝门的外面，就躺在门边睡着了。他认为这两只畜生要想冲过树枝门去攻击泰山总还要费好大一段时间，而且到时候它们吠叫和撕咬声总会把他惊醒的。所以，在这期间他乐得休息一会儿。

就在布卡瓦睡觉的期间，泰山和鬣狗们各自做着自己的事。两只鬣狗还没有饿得完全发狂。泰山正在磨的绳子也早已不是他幼年时在树皮上磨几下就断掉并把他摔晕了的那条细草绳了。这一阵两只畜生的肚子越来越饿，而绳子也被泰山磨得越来越细了。

一直到了下午，两只鬣狗中的一只为饥饿所驱使，吠叫着向泰山窜去，才把布卡瓦弄醒。他看到那只鬣狗已扒开了树枝门窜到泰山面前，向他的喉咙咬去，而泰山却一下子就抓住了它的脖子。另一只鬣狗也窜了进去，直扑向这个丛林白神的肩头。这时只见泰山上身的肌肉隆起，褐色的皮肤下聚集起巨大的力量，说时迟那时快，只听得咔嚓一声，泰山磨了一下午的草绳终于断裂了！于是这两只动物和人在地面上滚打起来，嚎叫和咆哮声混成一片。

布卡瓦一下子就跳了起来。难道这个丛林之神能战胜他的两只鬣狗吗？不可能！这个人手里没有任何武器，他和两只鬣狗相搏，肯定是要输的。不过，布卡瓦根本就不了解泰山。

泰山紧紧抓住一头鬣狗的脖子。

人猿泰山这时紧紧抓住了一只鬣狗的脖子，他的指头几乎掐进了它的肉里，然后跪起一条腿，虽然另外一只鬣狗疯狂地向他扑来，但他却用另一只手把它推到一边去。

布卡瓦发现自己的安全已经受到威胁。于是他挥起了他的大头棒。泰山看到他打上前来，于是站了起来，两只手各抓住一只鬣狗，把其中一只口吐白沫的畜生径直朝布卡瓦的烂脸上掷去。布卡瓦一下子和他的一只鬣狗滚在了一起。正当这时，泰山又把另外的一头鬣狗也朝那一堆扔去，接着就给了它们几脚，踢得鬣狗们哀哀地嚎叫着逃了开去。这时泰山又抢步上前，一把就将滚在地上的布卡瓦抓了起来。这一下布卡瓦猛然觉得死神已经来到了他的面前!

尽管吓得浑身打颤，布卡瓦还是拼命挣扎，用嘴和手乱咬乱抓。泰山讨厌看这张烂脸，只朝他头上给了他两拳，就让他暂时昏迷了。这时两只鬣狗早已通过通道逃到洞外去了。泰山拖着昏迷的布卡瓦走到原来绑他的小树边，也照布卡瓦绑他的样子，用那断了的半截草绳把他捆在小树上。他知道等布卡瓦醒来时，大概也会用和他类似方法去解开自己的。然后泰山就离开他走了出去。

当泰山走过弯弯曲曲的通道，穿过尽头的小石屋时，都没有看到那两只鬣狗。“它们会回来的。”他自言自语地说道。

在那个露天的小火山坑里，高高的陡峭的四壁间，布卡瓦慢慢地醒来。他惊恐地打着寒颤，一面语不成声地咕哝着说：“它们会回来的。”他的声音里带着一种恐惧的颤抖，断断续续，含混不清。

是的，这两只畜生会回来的。

八
真假努玛的故事

努玛趴伏在一片带刺的灌木丛后面。这里距野兽们常来饮水的地方不远，是河边堤岸下由河水回旋形成的一个小湾。这里有一片浅滩，在它的两边各形成了一条光滑的小路。它们是丛林里和平原上的食肉、食草动物成年累月来这里饮水踏出来的。那些猛兽们总是勇敢而无所顾忌地走来走去，而温和的食草动物则充分显出他们的小心谨慎和怯懦。

努玛此刻正饥饿着，而且非常饥饿。它放弃了往日来这里时那种常有的睥睨一切健步走来的仪态和咆哮着让别的动物为它让路的威严，而是静静地一动不动地伏在那里。它正等待巴拉或者豪尔塔到这里来饮水。这是一种狡猾的宁静，一种可怕的宁静，从那双凶恶的眼睛里射出来黄绿色光芒和轻轻蜿蜒抖动的长尾巴，都显示出这是一场杀戮前的宁静。

现在，这里正走来一群派可（猿语，斑马），狮子多少有点忍不住它的愤怒，它想大吼一声把它们赶跑，因为它们是草原上和丛林里最狡猾的和最有群体意识的动物。它们会耽搁狮子捕猎别的动物的机会，而捕捉它们却又并非易事。走在这一群斑马前面的总是一匹高大雄健的种马，跟在它后面的是三十到四十匹圆胖胖的烈性的马匹。当它们走近水边时，领头的种马时时停下来，竖起耳朵、伸出鼻子去搜寻从微风里吹来的猛兽的气味或声响。

努玛不安地蠕动着它的身躯，尽力地伸长它的臀部，好使它褐色的身体能积聚起足够的蹿跳力量，好发出猛烈的攻击动作。它的眼里冒出饥饿的凶光，它的肌肉这会儿正在轻微地颤动。斑马走走停停，鼻子不断地打着呼噜，只要有一点风吹草动，种马就会通过踢打它的蹄子发出响声，于是整个马群就会转身飞跑而去。不过狮子是知道它们的这种习性的，所以它一动不动地呆在那里。它也知道领头的种马会迟疑不决以致转身向后跑去。只要它感到有巨大的危险，就会领着它的族群飞奔回草原上去，再也不回来了。只有经过它多次试探感到安全以后，它才会领着一群母马和它的子女们安心地走向水边。

狮子这时选中了一匹肥胖小母马，狮子的眼睛里射出了饥饿的火焰，它知道只要能猎得一匹小母斑马，它将会享用到世上最美的野味。它慢慢地挺起了身躯，一根小树枝在它的爪下发出一声轻轻的折断声。它就像一发射出的子弹直扑那头小母斑马！但是，不幸的是那根小树枝的折断声已经向那些警惕的猎物们发出了警告。斑马们几乎在狮子出击的同时转身飞逃而去。种马留在最后面殿后，狮子只好径直向它扑去，可是它不得不提防种马的后蹄，因为如果被它踢一下，最轻也会鼻青眼肿，这是斑马们最重要的本领了。所以，最后狮子还是没有扑到种马，只不过在它的后背上留下一道被狮子前爪抓破的血道子而已。那一根小树枝的折断无异破坏掉了狮子的这一顿美餐。

狮子只好气愤地咆哮着离开了河边的饮水地，凶恶地饿着肚子向丛林走去，它的肚子让它很不好受。大概连平时它看也懒得看的鬣狗的臊肉，这会儿对它空空的胃来说，也是一顿珍品了。就是在这样的情况和脾气下，努玛遇上了喀却克族的大猿。

一般来说，一头凶猛的野兽，大多在日上三竿以后，都还在梦乡里酣眠。它们都是晚上捕食后，在剩余的残肉边休息。不过，我们上面所说的这头倒霉的狮子，昨夜却什么也没吃到，所以至今它还是饥肠辘辘，到了无以复加的地步。

大猿却喜欢白天进食，到了这会儿它们都已吃过了“早餐”，正在林间的空地上游荡。狮子早在看见大猿之前就嗅到了它们的气味。如果是往常，狮子会掉头远去，因为即使是我们的兽中之王，对于喀却克族中的公猿尖利的獠牙和巨大的膂力，也有几分敬畏，犯不着无故去招惹它们。今天却有点不同，狮子已顾不了许多，它只能听凭自己肚子的支配了，所以径直向它们走去。它的鼻子皱起来，发出一声轻轻的咆哮，毫不迟疑地从能看得见大猿的地方，蹿出来向正在林间小空地上的几只大猿扑去。

在旁边树木上的那个褐色皮肤的年轻人，对下面的情景看得一清二楚。他看见大猿纷纷转身四散逃走，飞快地攀跳到树枝上，只有小巴鲁们动作迟缓。这时只见一头小母猿竟然不顾一切地迎着努玛而上，原来它是为了腾出时间来好让它初生的小巴鲁有逃命的机会。它的勇气和牺牲精神让泰山大为惊叹。努玛没用几个回合，小母猿就已经浑身血污地倒在地上了。

泰山这时在他所站的树杈上生气地跳来跳去，大声叫喊着辱骂那些只顾逃命的公猿和那些只蹲在树上观望的大猿。如果那些公猿肯在原地抵抗一下，结果就不会这样。狮子不会得逞的，至少它也要付出很大的代价去对付众多扑上来乱咬的獠牙，它们会在它身上留下道道伤痕。

这时的狮子已经把它的战利品向附近的一个灌木丛中拖去，准备在那里饱餐一顿。不等公猿反应过来，泰山先就大声喊叫着向狮子追去。泰山愤怒的吼叫惊醒了公猿，它们也跟着吼叫和咆哮起来，并且跟随着泰山向狮子躲藏的茂密的树丛那里奔去。

泰山自然赶在最前面，不过他也相当小心，依靠着他的听觉和嗅觉，而不光是凭眼睛在灌木丛里寻找着狮子的踪迹。狮子的踪迹并不难找，因为它拖着的小母猿的尸体在地面上留下了一道平而宽的印痕，还有不时可见的血迹。即便普通人也不难追踪，对于泰山和喀却克族的大猿来说，它更是如同一条水泥路面那样明显。

用不着听到狮子发威的咆哮，泰山就已经知道离它藏身的地方不远了。他招呼大猿仿效他的样子，都跳到附近的树枝上。不出一刻努玛就发现自己已经处在一群大猿的包围之中了，只是这些身披长毛的动物都蹲在它够不着的树上。泰山清楚地看到那头小母猿就在狮子的前爪下面，不过这时它一定是再也救不活了。尽管如此，泰山认为必须把她从狮子的爪下抢出来，并且对这头狮子施以惩罚。他大声呼叫着辱骂那头努玛，并从他站着的大树杈上扯下附近的枯枝向狮子投去。附近的大猿也仿效泰山的样子做着。这弄得狮子简直无法安静下来，它气得不断咆哮、嚎叫，躲闪着投来的大小树枝。尽管它很饿，但是一时仍无法进食。

如果只有大猿，它们肯定用不了多久就会厌倦对努玛无益的戏弄,四散开各自干自己的营生或安享他们的美餐去了,因为小母猿不是已经死了吗？它们用树枝向努玛投掷是不能使小母猿复活的,不是吗?所以,它们各自散去干自己的事是理所当然的。可是泰山不这么想,他认为狮子必须受到惩罚,必须把它赶走!它必须受到教训,即使杀死了一只大猿,它也无法享用。人猿泰山的脑子要比大猿想得多想得远,而别的大猿却只想到眼前。它们只想逃避眼前的麻烦,只要现在能躲开努玛的威胁就行,而泰山想的却是如何保卫大猿将来的安全和生活。

所以现在泰山一个劲儿地鼓动着这些猿大，向狮子不断投射如飞蝗一样的树枝,让它抬不起头来,且不断地发出气愤的吼叫。但就是这样,狮子仍然不肯放弃它的猎物。

从用树枝和干木棒不断地向努玛投掷的过程中，泰山渐渐地领悟到这对努玛不会构成大的伤害，就算打中要害也不大要紧,泰山便开始搜寻附近有没有更厉害的东西。不久他就发现了不远处有一堆自然风化解体了的花岗岩石块，这真是一种能够让狮子“好受”得多的“火药”!泰山立刻招呼大猿效法他的样子。泰山跳到地上,抓了一大把小石块又跳回树上。他知道只要他做出榜样来,大猿就会明白他的意图,也按照他的样子跳下树去抓起石块来投向努玛。这时泰山还不是喀却克族的头领,那是以后的事了,现在他还是刚刚脱离孩童时期的一个青年,但是他那种自我控制能力和超常的智慧已经使他在这一群野兽中崭露头角了。尽管族中的几个老公猿还时不时地对他抱有敌意,而且泰山的气味对它们始终是一种有“敌意”的气味。可是年轻的公猿，因为和泰山一起长大，而且还曾是他的玩伴，所以对他和他的“气味”早已不再陌生了。只不过在发情的季节里泰山是唯一与它们的“气味”完全不同的家伙罢了。按照进化论的思想，人和猿是同类的，只是在他们祖先的某一个分支时期，前者直立行走的时间更多一些，才渐渐使他们分别进化成现在的两个不同的种类。尽管泰山在喀却克族中还没有形成领导权，但是他早就发现了大猿有着很强的模仿本领，现在他就常常利用这一点去指导大猿们的行动。

泰山手中捧了一大捧小石块，就又爬上树枝高处，他看到许多大猿也都很自然地照着他的样子做了。就在他们忙于收集石块和重新爬上树的间歇，狮子觉得没了骚扰，开始安心地坐下来重新准备享用它的美餐了。但是还没有等到它把的猎物安置好，突然一阵石子袭来，有一颗还正好打在了它的腮帮子上，接着它愤怒的吼声被学着泰山样子的大猿接连掷出的石子打哑了。努玛摇着大脑袋躲避着飞来的石块，用凶狠的目光向上望去，它看到了那些折磨着它的大猿，却对它们毫无办法。

攻击持续了半个多小时，狮子最后只好拖着它的猎物走向草丛和灌木的深处。但是，泰山和大猿仍然紧追不舍，而且总是能找到接近它的大树和它够不到的高处，并从那里不断地向它投去石子和树枝，使它无法进食，被赶得只能不停地转移地方。

特别是那个带着“人”味，身上不长长毛的小猿最是可恶。它甚至敢站到离兽王狮子陛下不远处的地上，向它准确而有力地投去石子，打得它疼痛难忍，而且有好几次努玛突然而凶猛的攻击竟然都被它轻松而灵活地逃脱了。这使狮子甚至忘记了它的饥饿而大发雷霆。尽管为此它把它的猎物也撂下好远,但都没能给这个可恶的敌人准确一击。

泰山和大猿终于把拖着小母猿尸体的狮子赶到了林中一处小片开阔地上。在这里狮子决定再也不向前走了。它准备好在这里进行最后的一搏,于是站定在这片开阔地的中央,在这里它也能躲开那些在周围树上大猿飞蝗般的攻击，尽管只有泰山觉得在这里向它投掷起来更方便一些。

但这里总的来说并不完全适合于泰山的原定计划。因为这会儿狮子只需忍耐偶尔由泰山投来的“飞箭”就行了,它开始决心享用它的被推迟了的饭食了。泰山这会儿正用手不断地搔他的乱发,有些心烦意乱地在想着更有效的办法,他决心不让努玛得逞,以免今后它再来侵扰喀却克部族。泰山到底是人,他的头脑里不光考虑眼前,而且能运用理智思考到将来,这与浑身长满长毛的大猿只顾眼前毕竟不同。泰山估计到假如狮子发现从喀却克族这里弄到食物是一件很容易的事，那么这些大猿们未来的生活将像一场噩梦一样麻烦。因此必须让努玛明白,只要杀死一头大猿,必将立刻受到惩罚,而不是收获或奖赏。只需要教训它几次,就可以保证喀却克族今后的安全。只有那些年老的在力量上和敏捷度上都失去了壮年威风的狮子，它们才在饿极了时不顾一切地去侵犯它遇见的一切东西——只要是单个的狮子就再也不会危及大猿们的安全了。要是做不到这一点的话,那么喀却克族的大猿今后岂不是要一直生活在恐惧之中了吗?

“让努玛去找孟格村黑人的麻烦吧!”泰山继续想着,“它将会发现他们才是好对付的家伙，我必须好好教训这些努玛一下。”

但是怎样才能从狮子嘴边抢回小母猿的尸体呢？这是泰山首先要解决的问题。最终他到底想出了一个办法。不过除了泰山以外，这办法对其余大猿都是非常危险的。当然对他来说这也并非轻而易举的事。可是我们这位未来的贵族阁下，生来就有敢于冒险的脾气。当然我敢肯定你我之辈是难于去尝试的，尤其是面对一头发怒和饥饿的狮子。

泰山首先要找一个帮手去实现他的计划。因此他想招呼同格到他这里来。同格是一头强壮的大公猿，和泰山有过良好的交往，我们在前面的故事里提到过他们的关系。它现在已经是泰山可信赖的伙伴了，就像我们常说的“朋友”或“友谊”那样的关系。而且泰山知道同格既有力又机敏。

“同格!”泰山招呼道。这个大公猿正从它站着的大树枝上，折下一根被雷劈焦的大枯枝拿在手里，抬头望着泰山。“到努玛跟前去把它引开!要不停地挑逗它，让它丢下梅卡的尸体去追你。”

同格点点头，从树上跳到地上，自泰山所站的树下面慢慢向空地走去。它手里拿着那根大树枝，嘴里不住地咆哮着，吠叫着。狮子先是迷惑地看着它，然后站起身来，它的尾巴突然直竖起来。同格知道这是它要发起攻击的信号，转身撒腿逃走。

就在狮子追赶同格，跑过泰山蹲的树上以后，泰山轻轻地从树上下来，直奔梅卡的尸体而去。而这时狮子却对这个人猿的“阴谋”动作一点儿也没有觉察，只管发狂地向飞跑的公猿追去。就在它向同格扑去的一瞬间，同格一跳就抓住了一根树枝，猛一翻身就攀了上去。好险啊，它的身体离狮子的利爪最多也不过一

狮子躲开树上大猿飞蝗般的攻击。

英尺。努玛还是扑了个空!

大概有那么一小会儿，狮子怒气冲冲地在树下朝着已爬到树上的公猿狂吼,它的吼声使得大地似乎都震动起来。然后它只好转身准备回到它的猎物那里去，继续它的几乎还没有开始的美餐。就在这时,让它更为愤怒的事出现在它眼前,它的尾巴竖得更为挺直,以更为凶猛的势态径直向前奔扑而去。原来这时映入它视线的却是那个光皮肤的像人的大猿竟敢抢走它就要到口的鲜美猎物,而且把它扛在肩上正向另一方向的大树跑去。

大猿都坐在周围大树上安全的地方，观看着这一幕残酷的竞赛,有的大喊着辱骂狮子,有的时时向泰山发出警告。此时太阳高照，温暖四射的光芒就像一盏舞台灯光打在林间空地中央这一对主角的身上。我们皮肤光亮的年轻人,此时正扛着被努玛咬死的、为了它的小巴鲁而壮烈牺牲的小母猿毛茸茸的尸体,鲜血从它身上淌到泰山的背上,形成了一道道红色的条纹,装点着他雄健有力的躯干。而在他身后发狂地追逐而来的是丛林里有名的兽中之王努玛,向后竖直了尾巴,它正在阳光下穿过空地向他扑来。

啊!这真是生死关头,死神在紧追不舍。但泰山却对这种冒险有一种胜券在握的信心。不过，他能在这一瞬间安全到达彼岸吗?

冈托这时正好从一棵大树上荡到他们前面的一根牢固的树枝上,嘴里还喊着给泰山的警告。

“拉住我!”泰山大声对冈托喊叫着。他背着身上的重负,径直向冈托伸出了一只手。冈托用双脚勾住树枝垂下身躯,也伸出一只手来猛地拉住了泰山的手。泰山借劲嗖的一下带着他背上的尸体一起蹿上了旁边的树枝。就在这时,努玛已经来到了树下,而冈托还来不及翻上树去，扑上来的兽王就已在它毛茸茸的长胳膊上留下了一道深深的伤口。

泰山安然地爬到一处高树杈上，这里就算是猎豹也爬不上来。努玛愤怒地在树下走来走去,发出可怕的吼叫。它的猎物竟然就这样被抢走了,而且自己还受到了大猿们的报复。它虽然很凶猛，面对这些在树上荡来荡去的长毛家伙却一点儿办法也没有。不久,这些大猿又向它投出了一阵飞蝗一样的石块和树枝。

泰山对这次事件,思考了很长一段时间。他甚至预见到丛林中的肉食猛兽对待喀却克族大猿的态度将发生什么变化。不过,他也还是发现大猿一开始见到努玛后，惊恐万状各自奔逃互不照应的状况。在丛林中,除了恐怖和惊慌以外,是很少有什么所谓的幽默意识的。但是,年轻的英国人却能从许多事物中发现幽默。

从儿童时起,泰山就经常寻找好玩的事。他比那些笨拙的大猿都更调皮。现在他甚至从他的猿伴见到狮子的惊恐中和挑逗努玛使之陷入迷惑的愤怒中找到了抢夺梅卡尸体这样的冒险乐趣。

但是没过几天,一头猎豹竟趁一头母猿外出寻食时,爬上树去把它藏在树杈上的小巴鲁叼走了。猎豹丝毫没有受到干扰就弄走了这个小战利品,泰山大为恼火。有一天晚上,对着皎洁的月光,泰山对公猿发话了。他指出努玛和希塔几天之内就不费力地伤害了族内的两个成员。

“它们会把我们都当成食物吃掉，”泰山大声说，“我们穿过树林时，很少注意到向我们靠近的敌人。就说猴子吧，可不是这样，它们总是挑出两三个伙伴轮流注视着有没有什么敌人走近。就是斑马、羚羊，也都有专门担任守卫的，只要发现危险，它们就发出警告，为的是好让别的同类安心进食。可是我们呢?伟大的大猿们却让母狮和猎豹轻易地弄走我们的伙伴，去喂它们的小巴鲁。”

“那我们怎么办?”托格问道。

“我们也要派出两三个守卫者去注意是否有努玛、沙保或者希塔走近，”泰山回答说，“除了希斯塔以外，我们就不用再怕别的敌人了。就算是希斯塔，虽然它行动无声无息，但只要我们有专门的守卫者，或许也能发现它的可能。”

就这样，喀却克族的大猿安置了卫兵。当大伙分散去寻找食物时，总有三个大猿交叉观察着四方，只是它们现在寻食的范围比以前略小了点，不那么随意了。

但是泰山却依然无拘无束地游荡。他毕竟是个人，而且喜欢不断寻找快乐和冒险。这是对他来说并不可怕又为他所熟知的丛林奉献给他的一种带有血腥味的怪异的冒险生活。别的动物只在满足于寻食和求爱时，泰山却同时在寻找快乐的享受。

有一天，泰山游荡在栅栏包围着黑人村的上方，也就是那座以孟格为首领的村寨，这里住的都是丛林里原始的吃人的黑人。他看到了曾多次见过的巫师拉巴凯加头上正戴着一个水牛头面具。他觉得用水牛头去炫耀自己并不是很有趣的事，直到他看到孟格村长的小屋外面挂着一只带头的狮子皮，他的脸上忽然绽出了狡黠的笑容，他大概想出了什么有趣的恶作剧。

回到丛林里以后，他利用他的机敏、力气和智慧毫不费力地弄到了一顿美餐。要是泰山觉得这个世界欠他一条生命，他就会全力去把它弄到手，而且在丛林中可以说没有谁比这位英国贵族的儿子更善于采集食物了。他也许知道得比他的祖先们少，但是他干得却比他们多。

天色很快黑下来，泰山又回了孟格村并跳到他常待的、伸在村寨木栅栏上方的那根光滑的大树枝上。因为今天并没有什么盛宴也不是节日，所以村寨的街道上没有什么人。一般说来，只有当有肉食的狂欢和家酿米酒时孟格人才会到街上来。他们这会儿都是围坐在烧饭的灶火边说闲话，只有极少数年轻人成双成对地躲在小屋外墙边的黑影里干他们自己的事。

泰山轻轻地跳到地上，顺着树荫和墙边的黑影像蛇一样悄无声息弯弯曲曲地走近孟格的小屋。在这里，他找到了他所要找的东西，尽管周围有好几个守卫的武士，但是他们并不知道那个丛林之神曾经光顾他们身边，并拿走了他想弄到手的东西，然后又悄然地离他们而去，就像他来时那样无人觉察。

这天深夜，泰山蜷伏在树上准备睡觉时，他久久地看着那颗火红的行星和满天眨眼的小星星，还有如一条弯线一样的月亮而不能入睡。他不由得微笑起来，想起了那天当努玛向他们袭来时，公猿是怎样狂叫着逃散的，就在这时，狮子抓住了勇敢保护自己小巴鲁的梅卡。不过，泰山知道大猿也是非常凶猛和厉害的，只是突然的惊吓使它们一时有些失控罢了。只是泰山还不知道大猿是否已经有了足够的警惕，而这正是泰山想要在以后知道的。

他就这样带着一丝狡黠的笑容睡去了。

第二天早上，泰山被在他头上不远处的一只曼纽猴子丢下来的豆荚皮打醒了。泰山朝上看了一下就坐了起来,他以前就多次被这样弄醒过。他和曼纽当然是很要好的朋友啦!他们的友谊建立在一种互惠的基础上。有时曼纽会在一大早跑来叫醒泰山，告诉他附近有喝水的麋鹿，或是在不远处的泥沼里正卧着一头野猪。而作为对这些好消息的回报,泰山也常常替他们剥去坚硬的坚果外皮或把找来的果子扔给他们，或者帮他们赶走蟒蛇或猎豹。

太阳已经升得老高了，喀却克族的大猿们也早就开始了他们的寻食活动。曼纽用他的小手告诉泰山他看见过的他们活动的方向,并且吱吱的叫了几声。

“来呀!曼纽,”泰山对他们说,“跟我来,有好玩的事让你们看,跟着人猿泰山来吧!”

泰山和他头上腾跳的猴子嘁嘁喳喳说个不停，并在它们的指引下一直向前走去。泰山的肩头扛着他头天晚上从孟格村偷来的那件好玩的东西。

喀却克族的大猿正在骚扰努玛，并最终抢回梅卡尸体的那块空地不远的地方游荡寻食。有几个大猿就在空地上坐着吃东西,态度安详而满足。难道它们不是有几个守卫者吗?泰山远远地看见它们时这样想着，也许泰山走后不久它们就把安排守卫的事丢到脑后去了。泰山是常常独自一人出去好几天的,或者去远处丛林或者去海边的小屋。泰山希望大猿把安排守卫的事当作一种习惯保持下去。这会儿，泰山认为大猿在他走后可能把安排守卫的事忘记了，所以决定向它们发出一次警告，而不是仅仅和它们开一次玩笑。泰山要让它们明白，安排守卫在丛林里是一个生死攸关的问题。

但泰山弄错了。今天正好是冈托担任着守卫，他蹲在一根大树枝的浓荫里。在这里它能观察到这个方向上的大片地方，正是他首先发现了敌人。一阵沙沙声引起了它的注意，接着它就看到不远的草丛里露出了一只长满鬃毛的大头和毛色棕黄的脊背。

只是向它扫了一眼，冈托就振起双臂从胸膛里发出一声喊叫，这是大猿对危险临近的一种警告。周围的大猿也跟着发出叫声。空地上的大猿都跳上了附近的大树枝，有些公猿也纷纷向冈托这里奔来。

就在这时，狮子大步走进空地，这个兽王陛下目空一切地发出威武的低声咆哮，谁听了这样的声音都会毛骨悚然。走进空地后，狮子在空地中央停了一下。就在这个空隙，一阵像疾雨一样的石块和枯树枝立刻向他袭来，狮子挨了十几下。接着大猿们又跳下树，搜集到石块以后又跳到树上去并再次狠狠地向它投掷。

努玛不得不转身逃跑了，不幸它迎面又挨上了一阵棱角尖利的石块的投射。最后，它又在空地边上遇上了冈托早就为他准备好的一块如人头大小的石头。我们的丛林兽王陛下终于被击昏在地。

带着尖利的吼叫和吠叫声，喀却克族的公猿们一齐向这里奔来。石块、树枝加上獠牙对这个安静地躺在那里的兽王构成了极大的威胁。这样下去用不了一会儿，这个丛林里可怕的生物，就将成为一堆血肉模糊的残骸剩骨。

就在石头、树枝和獠牙都已准备好向它作出最后攻击时，突然从树上铅锤一般落下来一只长着白胡子的满脸皱纹的小东西。它蹲在努玛身体的旁边乱喊乱叫，甚至发出向喀却克的公猿们挑战的咆哮声。

大猿们停了下来，被这不速之客的勇敢惊呆了。它是一只小猴子曼纽，一向胆小的小猴子如今却变得像一头凶猛的大猿了。它围着努玛受伤的身体不断地乱跳，向公猿们发出喊叫表示不许它们再向努玛攻击。

而当公猿们都停下手来时，曼纽跳到努玛头前抓住它的一只小黄耳朵用力拉去。狮子的大头被它拉开，下面竟然露出了一个长着乱蓬蓬黑色头发的头颅，他是人猿泰山啊!

有一些老猿还没有看清楚是怎么回事，仍然举起石块和树枝准备继续攻击，但是勇猛的同格却跳到泰山的身旁观察这个正在昏迷中的躯体，并警告后面的大猿们停止对泰山的攻击。这时娣卡也跟了上来，站在同格身边露出獠牙，做出要保卫泰山的样子。接着又围上来几个别的大猿，直到最后，泰山身边围满了浑身披着长毛发的大猿。它们共同形成了一个保护圈，保护着尚未苏醒过来的泰山。否则这个假狮子说不定会被别的不明就里的大猿或猛兽撕碎、咬烂、吃掉，最终只留下一堆血肉残骨。

泰山在几分钟之后慢慢睁开了眼睛。他看着围在他身边的大猿，才逐渐想起了事情的来龙去脉。他满意地露出了狡黠的笑容，尽管浑身的伤痛使他一动就皱起眉来，但是他冒险所获得的满足感还是弥补了这一切。他知道现在喀却克族的大猿已经按着他的建议去保护自己的安全了。而且,他也发现自己现在在大猿中间有了坚定不移的友人和同伴,这可是他从前不曾料到的,一向胆小的猴子也为保卫他的生命做出了英勇的贡献。

这些事都让泰山感到无比欣慰，但是在另一方面他却感到不好意思而且有点沮丧,因为他的玩笑开得并不成功,大猿们不大能领会他的幽默感，这群一向凶猛而可怕的伴侣最缺少的就是幽默了。现在尽管他还半死不活地躺在地上,遍体鳞伤,可泰山还是决定将继续在可能的时候发挥他的幽默或开开玩笑,因为这是他的乐趣,他不会就此安静下来的。

九
第一次经历噩梦

就在泰山蹲在孟格村边的树上时，村子里的黑人们正在举行着一场盛宴。泰山显出了一脸的狰狞相，因为此时他肚子里正空空如也，心里充满了嫉妒。今天他实在是运气不佳，对于他这个一向是丛林里的高级猎手来说，这是他收获极端贫乏的两天。尽管泰山有时也不免挨饿，但通常最多也就是一整天的事。

在平原上曾一度发生过瘟疫，这使许多食草动物都离开了。在这样的时期里，一切食肉动物如狮子的日子都不太好过。而过了这个时期，当那些食草动物再回到平原上时，肉食动物们就会享有一个季节或一个年度丰盛的美食了。

不管怎么样，泰山大部分时间都是肉食丰足的。只是今天泰山虽然一次次惊扰起几个猎物，却都没有得手，反让它们跑掉了。所以当他这会儿蹲在树上的老地方看着下面大嚼美味的是他一贯的敌人——黑人时，就越发地觉得他们让他讨厌而恨恨不已。这简直就好像是对他的有意捉弄，这些黑人就在他的下面不远处肆无忌惮地装满他们的肚皮，而且是把一大块一大块象肉不断地往嘴里塞。

当然泰山和大象是好朋友，这是毫无疑问的。而且至今为止，泰山从来就没有机会尝到象肉的味道，这不光是因为泰山从来没有想到要杀死一头大象，也因为大象多半有它们自己的死处，这也就是传说中的象坑。所以多年来，泰山从来也没有碰到一头死象。也因为如此，泰山认为今天这头大象一定是黑人们杀掉的。那么他找机会去攻击在下面大嚼象肉的黑人们，从道义上说就是理所应当的了。不过要是他知道，这是一头偶然生病死在路上的大象，过了几天之后才被孟格村的黑人在路上发现，那他也不会想要吃这象肉了。毕竟他不是一个爱吃腐肉的鬣狗似的动物，而是一个从不食腐烂物的白人猿，尽管他还算不上是一个美食家!

那么这会儿他算个什么呢?这会儿他是个饥不择食的野兽，只是此时他小心地抑制着自己罢了。现在许多黑武士正围坐在那煮着象肉的大锅边，他们的这个大圈又几乎就在村子的中央。所以即便是泰山，要想到锅前去抢肉吃也难免会受到伤害。这样一来，泰山就不得不饥肠辘辘地等待着黑人们塞到再也吃不下的时候再说。不过此时在饥饿的泰山看来，这些贪吃的家伙，也许宁愿撑破肚皮也要继续吃下去，等到最后也许什么也剩不下来。当他们已经吃得差不多了的时候，他们中的一些人甚至跳起舞来，以打破单调的狼吞虎咽的行为，借以刺激他们的消化力，以便继续下一轮的大嚼。不过大量的象肉，再加上他们自己村酿的啤酒，已经使他们脚步踉跄起来。其中有那么几个人连站也站不稳了，也有的就跌在煮肉的大锅边昏睡过去。

一直过了午夜，泰山才终于看到这场狂欢的结束。大部分黑人连小屋也不回就跌倒在地呼呼睡去，还有几个在那里乱跳。当然在这种情况下，泰山很容易冲进村去，从锅里抓起一块肉，当着他们的面走掉。但是这会儿他想要的可不止一块肉。饥饿的肚皮要用一大堆东西才能填满，而且泰山还要消消停停地去享用它们。

最后，只剩下一个武士还有点清醒，不过他是一个老家伙。他原来干瘪的肚皮，现在已经变得滚圆起来，像一面绷紧的鼓。尽管带着明显的不太舒服的表情，他还是跪在地上一步步向大锅边爬去，从锅里又捞出了一块象肉。接着他打了一个难受的饱嗝，仰面朝天跌倒在地，但他还是把弄来的象肉硬吞进肚里去。显然泰山认为像这个老武士这样的贪吃，大概不把锅里的肉都吃完他是不肯罢休的。这个黑人不由得引起泰山一阵恶心，他摇了摇头，带着轻蔑的表情审视着这个老黑人，心里想他不是和我一样的人吗?而且除此之外，那些小猴子、大猿和猩猩都具有和人，也包括他自己相似的地方。显然这似乎是一个大的种群，但是个体与个体之间，族群与族群之间，仍然会出现一些差异。不过只有鬣狗才像这个黑人那样贪吃，因为泰山看见过鬣狗贪吃死象尸体时，那种令他难以忍受的样子，甚至也是吃得肚儿圆鼓鼓的，连它自己原来钻出来的洞口也钻不回去了。

泰山悄悄地从树上溜下来，终于毫无顾忌地从肉锅里抓出了足够他饱餐一顿的象肉，然后端起黑人盛酒的罐子喝了一口。让泰山意外的是，这啤酒的味道又酸又苦，倒叫他不得不连连向外吐了好几口。他甚至敢肯定，就是鬣狗也不会对这种饮料感兴趣。因此，他对“人”的轻蔑不由得又加了一层。

泰山向丛林里走了差不多半英里路，才找到一处地方停下来享受他弄来的食物。开始他觉得这象肉有一种特别的让人不舒服的气味，但是他以为这可能是因为在大锅里煮了的缘故。泰山当然并没有吃熟食的习惯。他一点儿也不喜欢黑人们的口味，可是他毕竟是太饿了，所以就狠狠地吃了一顿，直到他确实觉得这肉味实在是让他觉得恶心了为止。尽管这比他平时的食量还差得远。

吃完以后，他把剩下来的象肉都丢掉了。然后，就找到一处宽阔舒适的树杈，想在这里好好睡上一觉。但是不知为什么，他却一点儿睡意也没有。往常这时，泰山就像一条吃饱了躺在壁炉火焰前的狗，只要微微蜷起自己的身体，就可安然进入梦乡。但今晚不管怎样蜷曲或是翻来覆去地躺卧，他总觉得胸口很不舒服，有一种特殊的感觉。这种感觉就好像吃进肚子的象肉蠢蠢欲动地想从他肚子里蹿出来，到黑夜里去寻找它们原来的象身，而泰山却硬咬着牙把它们堵了回去，毕竟这是他等了老半天才弄到手的食物啊！

终于，泰山好像睡着了，可是一阵狮吼又把他惊醒了，他看到一头雄狮正在树下。和往常不同的是，现在虽已是白天，天色却灰蒙蒙的，而且他自己也不像平时那样，每逢醒来都精神十足，现在他的头仍感到昏昏沉沉的。尤其让他奇怪的是，这头饥饿的望着他的狮子，居然在泰山向它做了一个鬼脸之后，一反常态地开始向树上爬来。到现在为止，泰山还从来没有见过能爬树的狮子。不过不知为什么，他也没有对此感到特别惊奇。

当这头狮子向他爬近时，泰山又移到更高的树枝上去。可让他懊恼的是，他并不像从前一样能灵活地纵身跳上高枝，而是一次次地失手滑落下来，相反狮子却一反常态地向他逼近。泰山可以看到狮子饥饿的目光正注视着自己，甚至可以清楚地看到它张开的大嘴里流出来的口水，那越来越近的血盆大口也眼看就要咬住他伸在下面的脚掌,也许还会向上扑到他的咽喉。人猿泰山只好拼命向上攀登,总算成功地爬上了树顶的小枝条,那头笨重的狮子肯定是上不来的。可是真见鬼，那头狮子竟也跟了上来。这简直难以让他相信,但是一切却好像是真的一样。他觉得这是不可能的事,可他又像是亲眼所见。不仅如此,他能爬上这样的高度也是他想象不到的,那头狮子也居然能跟上来,跟到连猎豹都上不来的高度,更出乎他的意料。

最后,他终于爬上了树的最顶端,这里从前是只有小鸟能站得住的地方。在这儿,好像整片丛林都在他的脚下。然而依然让他莫名其妙的是，那头狮子仍然用沉闷的声音咆哮着跟了上来。在这里,泰山似乎再也没有退路了。在这里他是无法和狮子进行一场决战的,特别是和这么一头怪怪的狮子。这里距离地面也许有几十个泰山身长的高度,但它居然像站在地面上一样稳当。也许一会儿它就能抓住泰山,接着还会把他吃掉。就在这时,泰山似乎听到了一声鸟叫,他抬起头来,正好看见一只大鸟在他头顶盘旋。

它那么大,大到他从来也没有见过,可是他却一下子就认出来,它就是他在海边小屋里的书上见过的那种大鸟(这时泰山当然并不知道,在海湾边上的这座长满苔藓的小屋,就是他父母留给他——年轻的格雷斯托克爵士的唯一遗产)。

在那本书里,画中的大鸟高高地飞在空中,爪子里正抓着一个小孩,下面是孩子的母亲,她向空中伸着两只手,脸上显出痛苦的样子。泰山正这样想着的时候,那头追他的狮子却向他伸过来一只爪子，而这时那只大鸟也猛扑下来，一下子抓住了泰山的脊背。尽管这使他觉得好像有点儿疼痛，但在他的意识里这总比被狮子抓住要好得多。

泰山只觉得一阵天旋地转，就被大鸟带到了空中。地上的丛林已经远远地落在了下面。泰山向下望时只觉得眩晕和恶心，他只好闭上眼睛屏息而恐慌地等待着。大鸟似乎飞得越来越高，风在他耳边呼呼地刮过，泰山忍不住微微睁开了眼睛，只见下面的丛林已经模糊不清了，像一片大黑点，可是他一抬头就看见了明亮的太阳。泰山伸出自己冰冷的双手，让它烤了烤。顷刻间他觉得浑身都暖和起来。这时他突然有了一个疯狂的想法。这个大鸟要把我带到哪里去?难道我就这样听凭它的摆布吗?这是我吗?人猿泰山的勇气哪里去了?一个英勇的斗士，就这样毫无反抗地被大鸟吃掉?不!决不!

他从腰上抽出了他的猎刀，向上直刺进大鸟的胸膛，一下、两下、三下。那两只大翅膀猛扇了两下就无力地扇不动了，抓住泰山的爪子也松开来，泰山就一个跟头栽向下面远远的丛林。

泰山觉得好像在空中过了好半天，才跌到浓密的树枝中间。一根小树枝在他的身下折断，使他一下子清醒过来。原来他就坐在昨夜睡在上面的那棵大树的树杈上。他于是向下翻了一下，想试试是不是能找回一点真实的平衡感觉，结果他就坐在下面的一根大树枝上了。

他用力睁开眼睛，周围还是一片黑暗，原来现在天还没有亮。这时他施展出以往的敏捷，又爬回了他从上面翻下来的那根树枝上。在他下面又有一头狮子在咆哮。他向下望去，看见狮子发着黄绿色光芒的眼睛，在微微的月光中闪烁。它带着饥饿和贪婪的目光从下面的黑暗中向他窥探。

人猿泰山屏住了呼吸，全身的毛孔都冒出了冷汗，同时他的胃里不断地泛起一阵阵恶心的感觉。人猿泰山做了他平生的第一次梦，而且是一个噩梦!

颇有那么一会儿，他坐在那里等待狮子向树上爬，一面还侧耳倾听天空的动静，想看看是不是还有大鸟来袭击他。因为对泰山来说，他的梦就是某种真实。有生以来除了今天以外，他还没有做过梦。他从来也没有见过狮子能爬树，也没有见到过这样大的鸟。他无法相信他所看见的事，可是这只鸟到底是他在梦中目睹过的，他几乎无法不相信梦中的感觉。他的感觉还从来没有欺骗过他。可是他又很难相信发生的一切，毕竟它们是那样地荒诞不经。因为吃了腐烂的煮象肉，胃里不舒服，树下又有一头狮子在吼叫，加上他以前看到的情景，于是就有了种种怪异的超出他理智的噩梦。现在当他睡醒以后回忆起来，一切都像是真的。可是他明明知道狮子不会上树，也知道丛林里从来没有出现过什么大到能把人抓起来的大鸟。他更知道如果他真从那么高的地方跌落下来，不会一点儿损伤都没有，甚至可能连活也活不成了。

说实话，此时的泰山真是满心的迷惑不解。他试图再躺下去睡觉，于是又有点儿迷糊起来。他这会儿真是一个迷惑的泰山，一个第一次胃里感到恶心的泰山。

正当他想着这天晚上奇怪的遭遇的时候，他忽然好像看到了更不可思议的事：他看见一条蛇正循着树干爬上来，而蛇头却是那个贪吃的老黑人的头。它带着圆滚滚的肚皮爬了上来，眼睛直望着泰山，然后张口就向他咬来。人猿赶快挥起拳头发狂地向它脸上打去，终于把这个幽灵似的东西打得不见了。

泰山一翻身就在他躺卧的树枝上坐了起来，四肢发抖，气喘不止，睁大了眼向四下望去。他的眼睛虽是在丛林里训练有素的，可是也找不见他刚刚躺在那里时看见的人头蛇身的怪物。只是在他裸露的大腿上，有一条从树上掉下来的毛虫在爬。泰山做了一个鬼脸就把它从腿上掸掉了。

泰山这一夜就是在这样梦连着梦，梦魇接着梦魇中度过的。直到他像一头受惊的麋鹿，被树叶因风吹动发出的沙沙声或鬣狗怪异的吠声所惊醒。清晨的曙光终于来了，黑暗和不断的梦魇带给他的许多可怖的怪异也消失了。泰山带着一身的疲倦和发烧的身体，从树上爬下来，穿过满是苔藓的潮湿的草地，到池沼边去找水喝。他整个身体就像在火里烤着似的，咽喉火辣辣的。他看见一处浓密的灌木丛，于是钻了进去，像一头受伤的野兽一样躲了进去，以便在里面安静地死去或是避开别的野兽的攻击。

但是人猿泰山并没有死，相反由于人自身的抵抗力，泰山出了一身大汗之后，就安然酣睡，一直到下午才醒来。等他睁开眼之后，他觉得自己已经好多了，只是还有些疲乏无力。

他再一次出来找水喝，喝饱了以后，便慢步向海边的小屋走去。有好长时间，只要他感到寂寞和烦恼，他就愿意到这里来寻找别处没有的安静并在这里休息。

当他走到小屋跟前，打开他父亲制作的那个粗糙的门闩时，在附近浓密的树叶中正有一双充满血丝的红眼睛注视着他的一举一动。这个家伙有两道毛茸茸的眉毛，它的目光既不怀好意，又有几分好奇。泰山走进小屋，并关上了门，在这里，所有外面的世界，都被他关在了身后。他在这里可以熟睡而不受干扰；可以伏下身来观看书中图画上的陌生事物；可以推敲出文字的含义而不去管它的读音；可以生活在一个奇妙的世界里，而这个世界只存在于他这些可爱的书中。努玛和它的沙保(雄狮和雌狮)可以在他周围咆哮，世界可以极端喧闹，泰山在这里却可以尽情地享受他的安宁和平静，放松他的警惕。这给了他极大的快乐和安慰。

今天他又翻到有大鸟的那一页，看到这只大鸟果然是抓住一个黑人小孩飞到半空中去。泰山皱起双眉去审视这幅图画。是的!一点儿也不错，这不正是前一天把他抓起来的那种大鸟吗?对泰山来说那天晚上所做的梦，似乎是一种千真万确的事实。

可是当他越去思考他所经历的这场冒险时，越觉得这里面有许多疑问。但究竟哪些是真实哪些是虚假，他简直无法确定。他真的去过孟格村了吗?他到底吃了那里的象肉没有?他不舒服过吗?泰山抓着他零乱的头发，挠来挠去，无法找出答案。这一切都是这样奇怪，但是他知道他从来也没有看见过一头狮子能够上树，而且也没有在光天化日之下看见过一条长着人头的蛇。

最后，他叹了一口气，决定放弃了解这另一种难解的生活。只是在心灵的深处他知道，有一些他从前没有经历过的事物，将会出现在他的生活中。这种事物只在他睡觉时出现，而且将给他一种模糊的不真实的感觉，贯穿于他的整个酣睡期间。

接着他又开始怀疑，他在梦中遇见的那些奇怪的生物是否能杀死他。因为这时的泰山完全是另外一个泰山，他行动迟缓，一点儿办法也没有，而且像一头鹿一样胆小，害怕其他的野兽。

就这样，通过一次梦境，泰山有了一种“恐惧”的体验，它是泰山在清醒时从来没有体验过的。也许他的这种体验是他的祖先以迷信或宗教的形式遗传给他们的后代子孙的，因为泰山只在夜间才有“恐惧”这种感觉，而在光天化日之下，这种感觉几乎是不存在的。大概也就像泰山一样，“恐惧”在原始人的脑海里建立起一个怪异的形象，使它具有陌生的、神秘的力量，而且最终人们会把一切无法解释的现象都归于这个超人的形象，使它具有可怖的、神奇的和可怕的力量，以赢得人们的敬畏。

正当泰山的注意力集中于他书中的那些黑甲虫和那些彩画的时候，他无意间翻到了一幅图画。这是一个勃勒冈尼(猿语，大猩猩)被捉进一个笼子里的彩绘画和故事，画中有许多塔曼戈尼(猿语，白皮肤的人)围在笼子周围的栏杆的外面，好奇地看着这个在笼子里发怒的野兽。泰山每逢看到这些穿着各式衣着的白皮肤的人，总是免不了好奇，而且每次他都不由得觉得好笑起来。他不知道他们是为了掩盖无毛的皮肤，还是为了增加外观的美丽才这样装扮起来的。特别让泰山觉得有趣的是画里那些人头上的装饰。他不知道那些女人戴了那么大的一堆头饰，还怎么能站得稳?而那些男的头上只戴了圆圆的一个圈，又几乎让他大声地笑起来。

泰山在阅读这些彩色图书时，开始逐渐理解了一些小黑甲虫的结合规律和它们的意思，但是对它们的理解常常让他冥思苦想得头昏眼花。因为昨天的疲劳和生病，他今天尤其如此。他已经两次用手背轻揉眼睛，否则用不了一会儿，这些小甲虫就变成互不连贯的无法理解的个体了。就这样，他觉得自己已经有些想睡了。是的，经过了昨天的疲劳和轻度的发烧，他今天很难集中注意力，他的眼睛也有点儿睁不开了。

泰山感到这会儿他真是要睡一觉，以缓解他的疲劳。可就在这时，他被门边的响动惊起。泰山转身一看，让他大吃一惊的是，在那里竟站着一头大猩猩(勃勒冈尼)！它浑身毛发，体形巨大，恰好把小门堵住。

现在泰山觉得真没有比和一头这样大块头的丛林“居民”呆在这间小屋里更糟糕的事了。只是他并没有多少恐惧感，尽管他一眼就看出，今天这头猩猩正处在丛林里雄性动物时有的发情期的烦恼和痛苦之中。通常大猩猩是不喜战斗的，虽然它们体态硕大，但一般总是躲让着其他的丛林猛兽，不失为一个性情相对温和的好邻居。不过当它们受到攻击或是处于现在这种带些疯狂的状态时，就没有哪个丛林里的动物敢随便招惹它们了。

今天泰山却是无处可避，真是狭路相逢!大猩猩用它那泛着红血丝的眼睛凶恶地瞪着面前的泰山，一刹那间它就会向泰山发起攻击并把他抓住。此时，泰山立刻想到了他的猎刀，它就放在他身边的桌子上。可是正当他伸手去摸他的猎刀时，无意间看见了摊开在桌上的画书，它仍然还翻在有一头关在笼子里的大猩猩的那一页。泰山这时虽然已经摸着了他的猎刀，却并没有向猩猩刺去的意思，反而脸上显出温和的微笑，看着向前逼近的大猩猩。

泰山有点怀疑他是不是又像在睡梦中那样被那些不存在的东西所欺骗。也许不一会儿大猩猩就会变成盘巴(猿语，老鼠)什么的，甚至长出个吞特的头来。这几天泰山在梦中，或半梦半醒中看到的这类事太多了，他也弄不清哪是真哪是假。但这一次大猩猩在向泰山一步步靠近时,却一点儿也没有改变。

泰山多少有点儿迷惑，而且他一时也想不起是否应为了自己的安全冲到什么地方去,因为他刚刚经历过的一些冒险,都是在不知不觉中就忽然消失了。他当然也准备好了必要时进行战斗。可是目前有这个必要吗?他还真说不清。泰山甚至觉得眼前的危险顷刻之间就会烟消云散,或者变成别的什么。可是变化没有出现!相反,泰山背后小窗子照进来的一道明亮的阳光,正落在对面大猩猩的身上,照着它光亮的长毛发和那高大有力的身躯,它正面对着我们的格雷斯托克爵士，这可比他梦境中的一切清楚多了。不过这会儿泰山还在静观其变呢!

大猩猩突然发起了进攻，它无情的大手一下子抓住了人猿泰山,露出獠牙的脸向泰山贴上来,嘴里发出咆哮,它嘴里喷出的热气直扑到泰山的脸上。这时泰山还对它微笑。不过,泰山也许还会糊涂一两次,但绝不会永远糊里糊涂下去。现在让泰山奇怪的是,如果这个大猩猩是真的,那么小屋的门闩只有他自己才知道怎么开,而这个大猩猩又是怎么知道的呢?

大猩猩对这个没有毛发的人猿的表情也有些迷惑，它张开的大口没有向人猿的喉管咬去。然后它好像突然作出了一个决定,于是猛一转身把泰山撂到它那毛发浓密的肩上,就像我们把一个婴儿扛在肩上那样容易,冲出屋门向附近的一棵大树跑去。

现在泰山真觉得像是做梦一样，所以他反而感到好笑而大笑起来,也因此他在大猩猩的肩上一点儿都不想反抗。不过这会儿理智告诉他,他应当醒来,而且回到小屋那里去。因为如果屋门大开着,像小猴子这样的动物就会窜进去,把里面的东西翻得一塌糊涂，糟蹋得乱八七糟。但是此刻泰山脑子里又升起一个疑问，他的梦境是从哪里开始的，它又将在哪里结束?他怎么能知道他小屋的门是不是真的开着，或只是他梦中的幻觉?现在他周围的一切都很正常，没有他前一天梦中的那种夸张和荒诞不经，所以最好的办法是转身回去看看屋门到底关好了没有，他是不会白走一趟的。

泰山试图从大猩猩的肩上溜下来，但是这个畜生，不但把他抓得更紧，而且还咆哮起来。于是泰山只好拼命一挣，使自己挣脱猩猩的抓握溜到地上去。这时，似乎是梦中又是现实中的大猩猩转身向泰山扑来，而且抓住人猿光滑的肩膀，在上面狠咬了一口。

微笑和友好的笑容立刻从泰山脸上消失殆尽，痛苦和鲜血唤起了他战斗的本能。无论自己是在睡梦中还是在清醒中，现在都已不是在开玩笑了，肩头火辣辣的疼痛是一种再真实不过的感觉。人和猩猩又打又扯地在地上滚来滚去。此时的大猩猩处于极度的疯狂状态，它一次次松开抓住人猿泰山肩膀的手，试图去咬住对手的喉管。但是它却料不到，这正好让泰山腾出手来，像过去多次经历过的战斗一样，他首先设法抓住对手喉管旁的大静脉。最后他终于成功了，此时他的肌肉在皮下隆成了一个个大疙瘩，说明他的力气也已经用到了极限。他一次次从大猩猩的搂抱中稍微摆脱出来，就在这时，人猿终于可以腾出手来，从腰间拔出他的猎刀。就在双方稍稍离开了点距离的时候，泰山用尽气力把他的猎刀尖一下子直插进大猩猩的心窝。

大猩猩猛地发出一声极其惨痛的吼叫，完全松开了抓住人猿泰山的手，它站了起来，踉跄地向前走了几步，然后猛地摔倒在地上,痛苦地抽搐了几下,就一动不动了。

泰山静静地看着他所杀死的对手。这时他用手在自己的黑头发里抓了几下，表示他对刚刚发生的一切，感到有点迷惑不解。现在他又弯下身去,用手指蘸了蘸大猩猩身上流出来的鲜红的血液,在鼻子上嗅了嗅,然后摇了摇头,一种无可奈何的感觉袭上心头。接着他转身向小屋走去，因为那里的门必须牢牢闩好。可是有一点他还是有点迷惑,他闩牢过的门猩猩是怎样打开的？难道是猩猩看清了他开门和拉闩的全过程吗?猩猩的模仿力是很强的。他开门和拔门闩的动作都被它学会了吗?还是他在迷糊中忘了闩门?这对他来说又是弄不明白的问题。他一边想着一边走回他杀死的猩猩身旁。

如果这曾是一个梦境，那么又怎么解释这一切真实的事物呢?他怎么区别哪些是真的,哪些又是梦境?或者今天遇见的一切都是真的？那么在他过去不长的生命中，哪些可以叫作“真的”,而哪些又是虚幻?

他在杀死的猩猩的尸体上踏了一只脚，然后昂起头向天空发出了一声让人听起来毛骨悚然的长啸。这时,远处一头狮子对此发回了响应的吼叫。这可是真的,对吗?泰山又弄不清楚了,于是他只好一边搔着头发一边向丛林走去。

经过这一场梦境,有好长一阵子,他觉得自己好像总在似梦非梦之中。而且一旦遇到危难,他总希望会像梦中那样,轻松而不费力气地躲过险境。但这毕竟不是一件好事。幸而没过多久，他就找到了梦境和现实的区别。而且从此以后,有一件事他始终信守不渝,那就是:永远也不再吃象肉了!

十
为娣卡而战

这一天真是风和日丽，一阵阵轻风吹走了热带的酷热。和平伴随着整个部族有好多个星期了，没有什么外来的敌人敢于闯进喀却克族大猿的游猎圈里来。对于大猿来说，它们已经十分满意了，未来和昨天一样的乌托邦(自由自在地活动和觅食)是会持续下去的!

现在放哨制已经从一个习惯成为全族的固定制度了。不论是它们任性地放松自己的警惕或是完全忘记了还有个岗哨，都不用再担心有什么意外的遭遇，因此部族里的大猿可以分散地去寻找食物。这样一来就使这一原始的群体有点现代人的味道了。

族里的任何个体都变得较少注意周围和保持高度的警觉，它们甚至觉得努玛、沙保和希塔都像是不知道到哪儿去了似的。母猿带着它们的小巴鲁，也敢在没有保护下向丛林的深处游荡了。它们的公猿们也可满不在乎地到远处去寻食了。这样一来，娣卡就带着它的小巴鲁尕赞游荡到喀却克族群居地的最南边，而且周围差不多没有公猿的地方去了。

在更南的地方这时正巧有一头坏家伙，一只公猿，在丛林里游荡。它因为孤独和失败而近于发疯。大约一星期之前，它在远处自己的部族里争夺王位被打败后，就逃出了自己的族群，孤零零地在丛林里生活。不过以后它终究会回到它自己的部族向那个它打不过的长毛大家伙屈服的。只是现在它还不敢回去，因为这会儿它正在发情期，不久前它不仅觊觎过他族中的王位，还打过大公猿的母猿的主意。因此至少得一个月的时间，才能使他族里的那个大猿王忘记它的不轨行为。也就是因为这个原因，这头公猿吐格才跑到离喀却克族的领地不太远的地方来游荡。它就这样与在丛林里独自觅食的娣卡不期而遇了。这是一个陌生的母猿，而且是无与伦比的温柔、有力和美丽。吐格赶快躲进附近下风头的树丛里，免得这头母猿闻到它的气味，而且这样它就可以带着爱慕的眼光大饱眼福了。

在一般情况下，一个母猿身边总是会有它自己的公猿的。所以吐格这样躲起来，也为的看看在它的周围有什么样的保护者。它必须考虑到这儿是否会有常在母猿附近游荡的有力而凶猛的公猿，它们常会和陌生的入侵者拼命死战，以保护母猿或者它们的小猿崽。当然吐格的部族里对外来的入侵者也是这样干的。

吐格看了半天，发现这里只有这头美丽的母猿和它的一个在附近玩耍的小巴鲁。这样一来吐格的胆子越来越大了，它那双邪恶的发红的眼睛紧盯着眼前这头美丽的母猿。至于那头小巴鲁它是不屑一顾的，因为只要它的大嘴在小东西的脖子上咬上一口，就会让这个小东西连一声惊叫都发不出来。

吐格是一头体态魁梧的大公猿，跟娣卡的公猿同格差不多。它们都处在自己的壮年期，肌肉发达，獠牙齐整，凶猛起来都够可怕的，足以赢得任何母猿的爱慕。如果吐格是在喀却克的部落里，说不定当娣卡的发情期到来时，也有可能选中吐格，不过现在它已经成了同格的母猿。所以，谁要是打娣卡的主意就得先打败同格。当然不光是打败同格，它也还有自己的选择权利。尽管和任何一头公猿相比，它的獠牙要比它们小得多，秀气得多，可是到了一定的时候它们仍然可以发挥出一些威力来。

现在娣卡正全神贯注地搜寻甲虫，一点儿也没有注意到别的事。它并没有想到现在它和尕赞离开自己的部族活动地已经很远了，甚至也没有保持过去常有的警惕性。因为自从泰山教会喀却克部族设立警戒岗哨以来，大猿都已习惯于放松自己的警惕了。好几个月来一直没有遇到过危险的大猿，几乎觉得丛林里已经是一个和平世界了。这种错觉曾经使人类丧失过警惕，现在也同样使喀却克族的一些大猿丧失了警惕。这也就是说，它们错误地以为，现在它们没有遭到攻击，以后就永远也不会遭到攻击了。可怜的大猿!可怜的娣卡!

吐格很高兴这个母猿和它的小巴鲁就在眼前，它悄悄地向它接近，然后一下子跳起来从娣卡的背后扑上来。就在这时，娣卡才突然转身看见了吐格。而这时的吐格也猛然地为眼前这个俏美人的美貌惊呆了。吐格离开娣卡还有几步，忽然改变了凶猛的态度，发出了求偶的哼哼声，这是一种噘动厚嘴唇的嘟噜声。这当然并不像接吻的声音，而只是一个公猿自己一厢情愿地发出来的。

但是，这时的娣卡丝毫也不把吐格放在眼里，反而露出了它的獠牙咆哮着。小尕赞这时也向它妈妈身边跑来，娣卡向它发出一种轻轻的、短促的叫声，示意它赶快逃到近处的高树枝上去。显然，娣卡对于它眼前的这个爱慕者一点儿也不感兴趣。吐格终于恼羞成怒起来，它挺起胸膛，用两手拍打着它，在娣卡面前发起威来。

"我是吐格，看看我的獠牙!"它自吹自擂地说，"看看我的强壮的胳膊和两腿，我一口就能把你的公猿咬死，信不信?我还打过希塔呢!我是吐格，吐格喜欢你，想要你!"

娣卡听了，突然转身向远处逃去。吐格发出一声大怒的咆哮，跳起身来追去。但是身体轻巧的娣卡逃跑的速度很快，吐格远不是它的对手。它追了几步就停下来，双手握拳用力捶着地。

尕赞从躲藏的地方，清楚地看见这个陌生的公猿失败的窘态。由于它还小，而且觉得自己所在的地方十分安全，尕赞忘乎所以地向下面那个陌生的公猿发出了嘲笑的呼喊。吐格一抬头就看见了它，娣卡也在前面不远处停了下来，娣卡当然不会离它的小巴鲁太远。这使吐格突然想出了一个新招，并决定创造有利于它自己的条件。它发现小巴鲁所待的树枝是在一棵孤立的大树上，小巴鲁无法再逃到别的树上去。所以它可以通过控制小巴鲁得到它的母亲。

吐格跳到这棵树低处的树枝上。尕赞只好停止嘲笑，表情也从恶作剧变得严肃起来。这时娣卡也开始明白了吐格的意图，于是大声招呼尕赞向高处爬，爬到小树枝上去，但是吐格笨重的身躯肯定是不敢爬上去的。尽管如此，吐格还是不断地向高处爬去。这时，娣卡坐在不远处，开始使用它从前熟悉的摇唇鼓舌的伎俩去羞辱吐格。

但是它毕竟不知道吐格的脑袋里装着什么诡计。它认为吐格爬到一定的高度，发现再也爬不上去、抓不到小尕赞时，就会下来再去追它，到那时吐格两头都会落空。娣卡是那样相信自己的揣测，所以它也不去考虑趁机呼救和招呼同族或同格来帮助它。

吐格终于慢慢地达到它再也爬不上去的高度。这里的树枝已经细得刚刚架得住它笨重的身体。这时尕赞距离它还足有十五英尺。吐格突然紧抱住它所在的树枝猛烈地摇晃起来。娣卡一下子就明白了吐格的意图，吓得目瞪口呆。尕赞所待的那棵小树枝这时也开始摇动起来。吐格只摇了几下就让小尕赞失去了平衡，尽管它还没有立刻掉下来，但已得四肢并用才能保证自己不掉下来。接着吐格又用力地摇起来，只听得咔嚓一声，尕赞紧抱的小树枝已经被摇断了。这一切娣卡都看得十分清楚，接下来的后果是什么它非常明白，所以它忘记了自己的危险，不顾一切地向那棵树下跑去，它心中只有那不可动摇的母爱!它冲向那个可恨的公猿，那个威胁着它小尕赞安全的家伙，去和它进行拼死格斗。

但是，还没有等到它赶到大树跟前，只听尕赞在上面尖叫一声，吐格终于成功地把尕赞从折断的树枝上摇了下来。尕赞穿过浓密的树叶，没有成功地抓住下面的任何一根树枝，只是被中间的枝叶挡了几下，就扑通一声跌到它妈妈的脚前，在那里它无声无息地直挺挺地躺在地上。娣卡立刻抽泣起来，但是还没有等它看个究竟，吐格就向它扑来。

娣卡拼命和吐格打斗着，但是，它终究敌不过雄健的吐格。

雄猿最后把它打得半死不活，无力抵抗。于是吐格把它一下子撂到肩上，转身向它部族的来路走去。

这时地上躺着似乎声息全无的小尕赞，既不呻吟也不动弹。太阳已经快到中天，一头癞皮鬣狗，恰好在刮来的丛林微风中闻到了尕赞的气味，从灌木丛中钻了过来。此时，它那难看的嘴脸正从矮树叶中伸出来，带着红眼圈的双眼紧紧地盯着小尕赞动也不动的身体。

这天一大早人猿泰山就到海边的小屋去了。凡是喀却克族的大猿们在附近游荡寻食的时候，泰山就到这里度过一些时光。地板上躺着一具骷髅，这是二十年前的格雷斯托克。它还像当年被喀却克大猿摔倒在地那样躺在那里，只是现在早已声息全无了，骨头上的残肉早就被白蚁、鼠类等生物啃光。多少年前，泰山看见它时它就是这个样子。泰山在丛林里看见的骷髅太多了，尽管它并不是人的，可是这究竟有多大区别，泰山一时也弄不明白。所以，他也很少给它们应有的注意。在床上还有另外一具骷髅，不过比地上的这一具略小了一点，泰山当然对此也像对别的骷髅一样一无所知。他怎么会知道地上的一具是他父亲的，而床上的一具竟是他妈妈的呢？此外，在摇篮里还有一具小小的骷髅，生前受到过格雷斯托克精心的照看，可是这些对泰山来说，眼前的景象都是毫无意义的。尽管将来有一天，这些骷髅可以无可争辩地证明他拥有一个颇具名气的头衔和属于他的权利，但是现在他的视野里还什么也看不到，就像在太阳系的行星上看不清猎户座一样。对泰山来说它们仅仅是骷髅而已。他用不着到床上去睡觉，地上的一具他也只需一步就跨了过去。它们对他来说,既无用处也无妨碍。所以,它们和他之间各不相扰。

今天泰山有点匆忙,他没有耐心地翻着手边的一本本书籍,看见一些他十分熟悉的图画,接着就把它们又丢到一边。他有些心神不定,也不知是为了什么。他最终打开了橱柜,拿出来一个小袋,袋里装着一些圆形的小金属片,过去的一些年里,他多次玩过它们。不过每次玩完了,他都依次把它们放回袋里,再把袋子放回原来的隔板上。这种按部就班有秩序地做事的习惯,表明他是来自一个与大猿不同的种属,尽管他现在对这个种属还一无所知。大猿们对他们用过或玩过的东西,总是在失去兴致以后,就随手从高树枝上丢进草丛中去了。他们丢弃的东西,有时也会被他们重新发现,但这绝非人猿泰山的风格,他从来对自己喜欢的东西都抱有一种一丝不苟的态度,哪里拿的仍然放回哪里去!所以这些金属圆片总是引起他很大的兴趣,而且他又总能在老地方很快地找到它们。它们两面都有凸起来的花纹,对这些花纹的含义,他却一点儿也不懂。

不过每一块金属圆片都有诱人的光泽,泰山喜欢把它们放在桌子上摆成各种不同的队列。他这样玩过不知有多少次了,今天他又把它们这样排来排去,一不小心有一枚竟掉到了地板上,而且还滚到床底下去了。这当然就是美丽的爱丽丝夫人生前睡过的那张床啦!

泰山立刻跪在地上,到床下去寻找他的宝贝。有趣的是,他以前从来也没有到床下去看过。在这里他不但找到了他的金属圆片,而且还发现了一只盖子没有盖紧的小箱子。把两样东西都拿出来之后,他把金属圆片放回了袋子里,又把袋子放回到橱柜的隔板上。然后，他又来研究这只小箱子。箱子里放着许多圆柱形的金属物件，一端呈圆锥形，另一端是平的，还有一圈稍微突出的边，它们的表面是灰暗而又满是绿色的陈年锈迹。

泰山拿出来几个，仔细地审视着它们。他把两枚彼此轻轻地摩擦了几下，那上面的绿色竟掉下来许多，露出了大约三分之二的光亮表面，只有圆锥形的一头还是灰蒙蒙的。他于是找来一块木片，用它在其中一个上面狠狠地刮了一阵。让他高兴的是，金属物件的全身都被擦亮了，发出黄澄澄的耀眼光泽。

泰山的身边挂了一只他从杀死的黑人身上弄下来的一只袋子，于是他把这金属物件装了几只进去，预备等他闲暇时再磨出几个来。然后，他又把箱子放回到床底下。他觉得今天再没有什么好玩的了，于是就从小屋里走出来，关好了门，转身向他部族所在的地方走去。

在离部族不太远的地方，泰山听见了部族里有一阵阵骚动的声音：母猿和它们的小巴鲁的高声喊叫以及公猿发怒的嚎叫和咆哮声。他立刻加快了脚步，因为那种叫声说明，在他的伙伴中一定发生了什么不对劲的事。

原来在泰山全神贯注地在他死去的父母的小屋中寻找乐趣时，同格，也就是娣卡的那个有力气的公猿，在它向部族活动地以北约一公里处搜寻食物并吃饱了以后，就走回部落里来。当它穿过林间的空地时，只见同族的大猿三三两两地散在空地上，各自做着自己的事，却始终找不到娣卡和它的小巴鲁。于是它问了几个大猿，但没有一个不久以前看见过它和尕赞在哪里。

动物或原始种属是缺乏想象力的，它们不像我们，可以想象出生动而接近于事实的形象或事态。所以同格这会儿根本就不认为已经有什么不幸发生在它的母猿和孩子身上，它只是在吃饱之后需要找到娣卡在树荫下为它搔搔背罢了。可是无论它问到哪个大猿,对方都告诉它没有见过娣卡和尕赞。

同格开始生起气来，而且决定一旦找到娣卡一定要给它以惩罚,因为在它需要它的时候,它却不知跑到哪里去了。同格沿着一条小路向南面走去。大猿走路常常是无声无息的,当它走到一块小空地的边沿时,它看到对面有一只鬣狗。这个吃腐肉的家伙并没有发现同格，因为鬣狗此时正两眼注视着前面树下草丛里的一个什么东西,正在企图偷偷地接近它。

同格自己总是要谨慎小心些，就像一个在丛林里游来荡去的、任何企图发现或捉到什么的生物一样。所以这会儿它寻到了一个可以藏身的大树，从那里它可以极清楚地看到小空地上所发生的事。它并不怕鬣狗，但是它想知道这个家伙正在追踪什么?

当同格走到一根树枝下,从那里正好看得清楚时,鬣狗已经走到那个东西的跟前,正对着它嗅来嗅去。这时同格才大吃一惊地发现,那里躺着的正是它声息全无的孩子小尕赞。

同格大喊一声,这声音是那样可怕和充满野性,以至于使鬣狗立刻失去了勇气,接着大猿窜过来,大拳一挥就把它打倒在一旁。鬣狗的反抗就像麻雀试图对付一只老鹰一样,根本没有被同格放在眼里。同格一把就抓住了鬣狗的咽喉,只一口就把它咬断了,并将它肮脏的尸体扔到了远处。

同格大声吼叫着呼唤尕赞的母亲,但是却没有回应,于是它又伏身去嗅尕赞。因为在同格的胸膛里毕竟跳动着一颗具有亲情的心,就像我们对自己的亲人一样,尽管这种感情在它那里并不是很强烈的,这点我们至少可以从原始人类那里获知一二。可是这种对幼子的感情也并不亚于它对自己配偶的保护。

同格的父爱就像我们对自己亲人的保护一样，这特别因为同格是比喀却克族中其他成员都更具有智慧的大猿。对于这些大猿的种种,我们也会听到非洲黑人们的谈论,但关于它们更多的事我们还是将从人猿泰山的故事里获得。

此刻同格不由得悲痛起来，像一位普通的父亲失去了孩子那样。对我们人类来说,尕赞不过是一个丑陋的小东西,但在同格和娣卡看来它却是娇小可爱的尕赞毕竟是它和娣卡的第一个孩子,头一个巴鲁。它就像俗话说的,是“父母眼中的宝贝”!

有好一会儿,同格一直在那里嗅着静静躺在地上的小身体,一会儿又用舌头舔舔它,用大掌抚摸它零乱的皮毛。最后他终于从嘴里发出一声咆哮,站了起来,复仇的感情代替了它的悲痛。

同格的吼叫得到了回应。喀却克族的大猿听到同格的吼叫后,一面作出回答一面向它这里跑来。这也就是泰山听到部族中喧闹声的原因。为了回应它们的吼叫,他也发出了一声嘹亮的长啸,然后加快了脚步,最后竟在树枝上快速地向前荡去。

当他终于看见喀却克族的大猿时,发现它们都围着同格,而且有什么东西静静地躺在地上。泰山从树上跳下来,走到它们中间。同格还在发怒,当它看到泰山时,它从地上抱起小尕赞,而且伸到泰山面前来,让泰山看看小尕赞的状况。相对于本部族的大猿们,同格对泰山已经建立起特别的信赖。它不但相信泰山对它和娣卡以及小尕赞的善意，而且认为泰山是族里最聪明最机智的一个。而泰山也在与同格和娣卡生死相依的战斗中赢得了它们的信任,并和它们建立了特别亲密无间的感情。

泰山一看到同格怀里抱的尕赞的样子，不由得也发出了一声愤怒的咆哮,因为他也一样很爱娣卡的这个小巴鲁。

“这是谁干的?”他问道,“娣卡在哪儿?”

“我不知道,”同格回答说,“我看见它躺在这儿,旁边有一只鬣狗想吃它,但这并不是鬣狗干的,因为尕赞身上并没有鬣狗咬过的痕迹。”

泰山走到同格跟前,把一只耳朵放在尕赞的胸膛上,听了一会儿说:“它还没有死,也许他还会活过来。”说完以后,他就推开猿群,一步一步地检查着地面。忽然他站住了,把鼻子贴近地面闻了起来,接着就跳起来发出一声特别的吼叫。同格和别的大猿听了都围拢来，因为泰山发出的这种声音表明他一定是发现了什么。

“这儿曾来过一个陌生的公猿,”泰山说,“是它伤害了尕赞,而且把娣卡弄走了。”

同格和别的公猿都咆哮起来，可是它们谁也想不到该怎么办。如果那个陌生的公猿就在眼前的话,它们也许会把它撕成碎片。

“要是我们放哨的三个公猿真正负起责任来,就不会发生今天的事情了。”泰山指责他部族里的大猿说,“只要你们放松了岗哨制,这种事无论何时总要发生的。丛林里充满了各种各样的敌人,可是你们就是满不在乎地让你们的母猿和巴鲁到处寻食,而且担任岗哨的公猿又不注意保护它们。现在泰山就去找它们，去把娣卡找回来。”

泰山的话感动了大家，大猿都说：“我们都去。”

“不，”泰山说，“你们不要都去。我们不能带上母猿和巴鲁，这不便于狩猎和打仗。你们必须留下来保护它们，不然它们都会丢失的。”

公猿们听了都挠着脑袋，不知如何是好，但是泰山明智的建议使它们恍然醒悟。它们原来首先想到的只是把入侵者找到，把被抢去的夺回来。这是原始群体的一种简单意识，它们并没有全盘考虑问题的习惯。这种简单的集体意识使它们似乎从来也没有考虑过更复杂的计划或安排，一旦遇到意外，它们就是“大家一齐”上，利用“人多势众”去战胜对方。相反由一个人去战胜入侵者——大家共同的敌人，过去还没有发生过。它们一直都是这样对付丛林中的猛兽的，所以只要一大群大猿在一起，不管是狮子、猎豹或别的凶猛的野兽，都只有躲开它们的份儿。但是今天在泰山看来，把娣卡弄走的大概只是一个公猿，两个行动迅速的大猿就足够应付的了。

况且，以前在喀却克族中也没有发生过去追回丢失母猿的事。如果真有一个被野兽弄走了，只要它们没有当面看到，也就算了，因为这是在丛林里常会发生的事。“它已经走了或丢了”，事情也就是这样了，司空见惯。如果丢失的母猿是已经有了公猿的，那么这个公猿会咆哮几天，郁郁寡欢几天，过后也就忘了，或者另有新欢也说不定。

可是这一次丢失的是娣卡，泰山也爱过的母猿，他把小尕赞也当成了自己的孩子，这就不同一般了。泰山以前只有过一次类似的情感，那还是多年以前，当库龙格——孟格村酋长的儿子，杀死卡拉——泰山的养母时，泰山也有过一定要复仇的悲愤，现在这感情尽管没有那么强烈，但它毕竟是同样的感情。

泰山转身对同格说："把小尕赞先交给努姆格！它是一个老母猿，它的獠牙已经不锋利了，但是它能看护好尕赞的，直到我们把娣卡找回来。要是尕赞被丢掉或没看好而死去，"他转身对努姆格说，"我会杀了你。"

"我们要到哪儿去？"同格问道。

"我们去把娣卡找回来，把那个偷走娣卡的外族公猿杀死。走吧！"泰山回答说。然后，他就问也不问同格，转身追着那个陌生的公猿的踪迹去了，这踪迹对泰山来说十分清楚而强烈。这时同格只好把尕赞交给努姆格，又加上了一句："泰山说了，要是尕赞被你弄死了，它回来可要杀死你。"说完，他就跟着泰山，沿着一条林间小路大步追了上去。

在喀却克族的部落里，还没有谁能比得上泰山这个五官和头脑并用的追踪者。因为他在灵敏的知觉之外又加上了他的智慧和思考判断。判断告诉他，他所要追踪的痕迹应该是一个非常明显的痕迹。因为他认为两头大猿的重量压出来的痕迹一定是非常明显的。事实上今天吐格抢走娣卡后所留下的痕迹，也正像打印在纸上的字迹那样清楚。

泰山光洁雄健的身体后面正蹒跚地走着公猿同格。他们一前一后地走着，一句话也没有。他们静静的，就像两个在迷宫样的丛林中游荡的影子。泰山的鼻子也像他的眼睛和耳朵一样警觉，现场的各种气味仍然很新鲜，他们逐渐脱离开他们很熟悉的本族大猿气味的干扰。开始他们只能通过娣卡的气味来辨别它的踪迹，但是不久也熟悉了吐格的气味。

当一阵乌云遮住了太阳，他俩的行动不得不加快起来。泰山几乎是在小路上飞跑，而同格只好跳到树上一根树枝一根树枝地向前荡去。他们的速度要比吐格快多了，因为他们身上一点负重也没有。

可是就在泰山觉得他们离窃贼越来越近，气味也越来越浓时，丛林上空忽然划过一道闪电，接着就是一声震耳欲聋的焦雷，它的回声使丛林、大地都开始震动起来，然后就下起雨来。这里的雨可不像我们温带的雨，而是像急流泉涌一样的倾盆大雨。它落下来的不是雨点，像是水柱。它不依不饶地对着那些已经屈服的大树和吓坏了的躲在树荫下的猛兽直泻而来。

不出泰山所料，大雨洗净了他们要追的那个外族窃贼留在地面上的一切痕迹。豪雨下了只有半个多小时，接着就是从云层里透出来的炎热的骄阳，丛林里多了许多五彩缤纷的宝石样的水珠。只是今天人猿泰山对这一切美景毫不动心也视而不见，他心里惦记的是娣卡和绑架者的踪迹，这些踪迹虽然被大雨冲刷得一干二净，但却仍深深留在他心中。

甚至在树杈上的痕迹，也像在地面上的痕迹一样被大雨给冲掉了，只有那些他们的追踪对象曾穿来蹭去的地方，留下了一些残存的气味。沿着这些残迹，泰山和同格继续追踪着吐格的去向。每逢他们来到一处树枝的大杈丫处，泰山总是要闻来嗅去，以搜寻盗窃者留下的一点残余的气味。

泰山不断地嗅着树干，检查着每一处杈桠附近的树叶，希望从这儿或那儿找到一点线索，例如绑架者的一根毛发，一点皮屑。这毕竟是一个缓慢的工作，而且只有确切无误地找到这些残留的痕迹，才不至于使他们走冤枉路。他几乎是一步一个脚印地查找这些残迹，充分利用了他多年来在丛林里学到的技能，在徐徐前进中力图无误地尽快追赶上他们的对手。但是，树枝上残留的气味终究被大雨冲掉了很多，几乎每一处裸露在外面的地方都找不到什么痕迹了。后来，他们还是从一些宽叶子的背面，那个绑架者和娣卡擦过的地方，找到了它们留下的气味。

泰山和同格一次次地丢失了他们追踪的气味和痕迹，却又一次次在他们几乎失望的情况下又找了回来。对于我们来说，这里是完全没有气味的，因为对于辨别这种动物或性别的“气味”，文明社会的人类可以说是最不灵敏的了。即使不下雨，我们也什么都闻不到，可是对于他们却是完全不同。

有时，同格也不得不跳到地上来，寻找他们的踪迹。因为毕竟绑架者是扛着一个母猿走路。尽管在雨后，还是能找到一两处深陷的足印。有时还能找到绑架者只能用一只手扶在地上前行的痕迹。泰山还能从绑架者换肩休息的地方找到一只特别深的脚印和对侧一只手掌支撑地面的印痕。

在追踪中，他们也发现有时在路上，有很长一段路那个外族的大猿都是用两条后腿直立走路。只有大猿才有这种习惯，它们不同于大猩猩或黑猩猩，这些动物是经常用四肢爬行的。这一点大大有助于泰山和同格去辨认那个绑架者的踪迹，再加上它特有的气味，使得泰山和同格比文明社会的侦探或者法国著名的人类学家贝迪永先生都更具权威性。

尽管两个追踪者付出了高度的注意和他们灵敏的知觉，但在不停的追踪中，他们仍然感到十分苦恼，而且不断遇到上述种种困难。直到第二天过午，他们仍然没有追上那个带着娣卡的绑架者，只是它的气味越来越强烈罢了。泰山知道那个窃贼和它的“赃物”已不会太远。不过，在他们越来越谨慎的前进中，他们的上方却有着越发显得喧闹的猴子叽叽喳喳的声音、鸟儿的大声鸣叫以及各种昆虫的嗡嗡声。这时一只长着胡子的猴子，一直跟踪着他们，在他们上方的树枝上蹿跳。看起来它也许只是一个受了惊吓的小家伙。

现在娣卡怎么样了?它最终顺从了它的命运，跟新的征服者结成了伴侣吗?不过这时如果能看到他们两个，只要一眼就可以得出否定的答案。这时娣卡浑身已是伤痕累累，有的伤口还在流血。这都是因为它不肯乖乖听从吐格的话、好好跟着走而弄出来的。而这时的吐格也是狼狈不堪，但它仍然坚持着不肯放弃绑架来的猎物。

吐格这时正带着新抢来的美人，朝着部族的聚居地走去。它希望它的首领已经忘记或者宽容了不久前它的反叛行为。即使不能，它也只好听天由命了，这总比它独自在丛林里游荡强得多。何况现在它还想向他们夸耀一下它得到的如此美丽的俘虏呢!它甚至觉得即使把这个母猿献给它的族长，以求得宽恕也是值得的。

最后，它终于在一片小树林里遇见了两个正在寻食的公猿。这里是一片美丽的小丛林，点缀着不少半嵌在泥土中的大鹅卵石。它们大约是冰川时期就被洪水带到这里来的,现在正暴晒在热带的炎阳之下。

这两个公猿一看到远处的吐格就露出了战斗的獠牙。可是吐格很快就认出来它们是自己的一族，因此它大声喊道:“我是吐格,我还带回来一个母的呢!”

于是那两个公猿就等着它走近。而这时娣卡却露出它那不长的獠牙和难看的脸色。尽管娣卡浑身伤痕,毛发零乱,表情凶狠,但是这两个公猿还是看出来它是一个“美人”。它们不由得嫉妒起吐格来,老天!好艳福。当然它们不知道娣卡的来历。

当吐格蹲下来,和它们说着什么时,一只长尾猴正从树枝间向它们奔来。它是一只非常激动的长着长胡须的猴子。等它来到它们面前时,几乎是对它们叫喊道:“前面来了两个陌生公猿。”它大声地说,“一个是大猿，另一个是浑身没有毛发的讨厌的人猿,他们是追着吐格的踪迹来的,我看见他们了。”

这四只大猿一齐转头向吐格的来路看去，暂时没有看见什么。它们彼此看了一眼,和吐格相遇的那两个大猿中高个子的一个出主意说:“快,咱们先在空地后面的灌木丛里躲起来,等他们来了再说。”于是它起身蹒跚地向着它指的草丛后面走去。那只来报信的小猴子,激动地在它们周围跳来跳去地跟着。它是一个爱看热闹的家伙,这是它生活里最大的乐趣。它喜欢这些丛林里大块头居民们之间火拼的血战，这样它就可以坐在树上看热闹了。

它们躲在一大丛灌木的后面，在泰山和同格将要经过的小道旁边。这时娣卡却激动得浑身颤抖起来。它一听小猴子说有一个浑身没毛的人猿，它就知道一定是泰山来了，另一个自然就是同格了。这可是她满怀期望的的来救援它的同族，真是再没有更合适的了。

泰山和同格这时正好来到那三个公猿刚才相遇的那片小树林里。吐格的气味越发浓厚起来，他们知道那个盗窃者就在前面不远了的，所以越加小心起来，希望能出其不意地从背后攻击那个绑架贼。真的，要不是那个小猴子先来通风报信，不仅那个窃贼肯定发觉不了他们的到来——这不光因为他们处在下风头，而且现在也不会有三双偷窥的眼睛注视着他们的行动，准备到了一定的时机就跳出来用爪子和流涎的大嘴命中他们的要害。

就在他们穿过小树林，走上通往前面的小路时，突然一声的喊叫，在身旁不远处响起。接着又有一声尖叫，极像娣卡的声音。吐格的小脑袋瓜根本就想不到，娣卡会突然给泰山和同格发出警告，气得跳起来给了娣卡有力的一掌，把它打倒在地，然后冲出灌木向着泰山和同格扑去。这时报信的那只小猴子，在树枝上可是高兴了。

小猴子当然会高兴，因为这是一场真正的战斗。它没有宣战，也没有仪式，更无须介绍，这五个公猿(其中当然也算上泰山)出手就是一场混战和凶猛的打斗。他们一上来就滚在小路旁的绿草中，又扭、又打、又咬地使用了一切可用的招数，同时一齐发出尖叫、咆哮、呼喊和怒吼。他们至少这样厮打了五分多钟，彼此身上都已经有了伤痕，流出血来。而这时小猴子却一个劲儿地在旁给他们鼓劲叫好!不过总的说来，它还是要表示它的不满，太不过瘾啦!还没有一个伤亡呢!这算什么战斗!它才不管谁是“敌”是

“友”呢!

同格正和吐格及另一个公猿厮打，泰山却是一对一地和一个大公猿在战斗。他们彼此都觉得对方不好对付,尤其是和泰山交手的大猿,遇上这么一个浑身没毛的家伙,抓也抓不住。泰山不断从大猿的手中滑脱，尽管这时他已浑身是汗并且伤痕里渗出了血水，他一直想从刀鞘里把猎刀抽出来，但袭击来得太突然,使他没来得及这样做。

最后,他终于找到了机会,他一手抓住了对方的咽喉,另一只手猛地向上一抽,就把猎刀抽出来了。接着猛力劈了三下,对方那有力的毛掌立刻就松了开来,只呻吟了一声,这只凶猛的大猿就瘫倒在地。接着泰山甩开了那只还无力地抓着他的已死大猿的毛手,跳到同格身边帮它去了。吐格看到泰山冲了上来,立刻一个转身迎了上去,冷不防伸手抓住泰山拿刀的手,把他手中的刀扭掉了。好!现在可是干干脆脆地赤手空拳的战斗了!

这时娣卡已经从挨了吐格一掌被打倒的地方爬了起来,正想找机会去帮同格和泰山。它虽然捡起了泰山的猎刀,可是不知道怎样用好。它从来也没用过这玩意儿,只是看见泰山用过,但是究竟怎么一闪对方就死了,在它的脑瓜里还是弄不明白。就像它不知道大力的吞特怎么样用象牙对付敌人一样，大象的敌人往往还在它没好好看清楚时,就已被甩出老远断气了。娣卡正犹豫时,又看见泰山丢在地上的箭袋,尽管它不知道这是个什么东西,但是它知道这是泰山的,所以它也过去把它捡了起来。

现在的两对打斗者,都已是汗血淋漓,连他们双方的脸上都满是血迹。不过吐格和它的同伙已被逼到小丛林的另一面去了，

泰山一对一地和一头大公猿战斗。

它们且打且退,想逃走又没有机会。在树上看热闹的小猴子,已经全神贯注得连跳和喊叫都忘了看得呆了。娣卡慢慢地跟在它们后面,现在也浑身疲惫。两天来的挣扎和抗拒,使它筋疲力尽。它现在相信,它部族中的这两个公猿,尤其泰山这样的"公猿",是能战胜那两个外来者的。

这时,打斗者的呼喊、咆哮、吼叫都在丛林里反复回响,甚至传到遥远的山岩,又从那里再传了开去,弄得整个大地都好像在震动似的。忽然泰山对手的喉咙里发出了一声的叫喊。他听到了什么,还是觉察了什么?果然,他的呼叫很快就得到了回应,不远处也发出了的呼叫,但这声音对同格、泰山以致娣卡都是陌生的。他们正在惊奇地等待着,突然从吐格的身后陆续涌出来十来只大猿。娣卡首先看见它们,立刻向同格和泰山发出了警告。然后,它向后跑了几步,本能地想要逃走,可是一想到同格和泰山还在后面,它又站住了。

新来的大猿都向泰山和同格扑来,用不了多一会儿,他们两个就会被扯成碎块。娣卡向后看了一眼,它看出它的两个保护者即将遭遇的悲惨命运。这时在它野蛮的心里也涌动起一种为他们殉难的情感,它要与他们一起战斗。它手里拿着泰山的猎刀,可是不知道怎么用它,而且也没有泰山那么大的力气。它大喊一声向混战的现场冲去,那里混战者们正在一块大石头旁边的草丛里滚来滚去。娣卡这时能干什么呢?何况混战者们的位置,还不断地变来换去。它忽然想起泰山投掷的飞箭这类东西,这类东西它从前和泰山一起玩过。它在搜寻着可以投掷的东西,忽然手指碰到了泰山的箭袋,它知道那里面可能有什么可以使用的物件。它扯开箭袋,看见了里面有一些发亮的金属物,它抓出了两个,心里想这一定是很好的飞箭啦!于是它将这物件用力向在大石块前混战的大猿们投去。

一声轰然的炸响,震耳欲聋,接着就有一股酸雾弥漫开来,使这里的大猿们眼睛都有点睁不开了。这结果让娣卡和大猿们都大吃一惊,它们谁也没听见过这样响亮的声音、经历过这种烟幕。它们惊叫着,都跳了起来,尤其是吐格一族的那些大猿,转身没命地向它们的来路——本族活动的方向逃去。而这时泰山和同格却慢慢地一瘸一拐地向娣卡聚拢来。要不是他们看见娣卡呆愣地站在那里,手里拿着泰山的猎刀和箭袋,他们也要逃走的。"这是什么?"泰山问道。

娣卡摇着头说:"我把这个向它们扔去。"说着她从泰山的箭袋里拿出了另外的两个金属物。它们有的还闪着亮光,有的却盖满了绿锈。这些是一头尖的圆柱体,底部还有一圈突出的沿。

"那是什么东西?"同格好奇地问道。

"是我找到了它们,可是我不知道它们是什么。"泰山说。

那个有胡子的、给吐格报信的小猴子,这时已逃到一英里外的一棵树上,倚着树干发抖,它双手抱肩,怕得浑身打颤。它当然不知道这是泰山的父亲跨越时间的隧道来救他儿子的生命来了。

我们的泰山——真正的格雷斯托克爵士当然也不知道。

十一
恶作剧

这一篇故事本来是发生在泰山营救孟格村的小黑孩蒂宝以前的事。因为自从那时以后，虽然泰山没有收养成小蒂宝，但是，他却对孟格村里的黑人，像小蒂宝和他的妈妈莫玛亚，产生了一定的感情。他也不再因孟格村的库龙格杀死了他的养母卡拉，而普遍仇视他们了。不过，我们的主人公并没有写过日记之类的东西，所以他对于事件发生的先后顺序常会记颠倒，这也是没办法的事。就连我们，对于自己少年时的记忆，不也是经常信手拈来只捡有趣的说，而不去管它们的先后时间吗？

日子在泰山那里过得沉闷而单调。尽管如此，单调并不意味着单一，就像逃避死亡或杀生，每一次的经历也未必完全相同。所以，在这不同中往往会有一种兴趣包含在其中。而我们的泰山就总是在他的这类单调的活动中，主动寻找着花样翻新的趣味来娱乐自己。

现在泰山已经完全长成一个壮实的小伙子了。感谢上帝，他有了强健的体魄，成为了膂力巨大的壮汉。多年来他所受到的都是猿族部落的教养，他本来是该和别的公猿一样沉闷、坏脾气、易怒、好猜疑，但是他的性格完全不是这样。他的精神状态和他的年龄有点不相谐，他的心性还完全是一个喜欢嬉戏的孩子，跟他同时长大的老伙伴们简直像差着一个世代。那些和他一块儿长成的公猿根本无法理解泰山的喜好和他的情趣，它们很快就忘记了少年时的爱好和过去的时光。当然泰山也无法了解它们。这真是怪事，几个月之前，泰山还把同格的两脚用他自制的草绳捆起来，在草地上拖来拖去，引得同格高兴得大叫。然后，他们还装着打架在地上滚来滚去地玩闹。可是现在，当他再从同格的后面猛地把它推倒在草地上时，代替过去尖声嬉闹的大叫的，却是同格转身凶猛地露出了獠牙，发出咆哮直奔泰山的咽喉，准备与他拼个你死我活。

不用说泰山很容易就溜开了，于是同格的愤怒也就很快消失了，尽管同格一点不像从前那样觉得这是一件好玩的事。这样遭遇了几次之后，泰山已经知道同格再也不会以此为乐，而且也对此不感兴趣了。大公猿们似乎完全丧失了它们从前曾有的幽默。我们年轻的格雷斯托克，只好一面咕噜着他的不满和惊诧，一面寻找别的好玩的事去了。

泰山的一绺头发从前额垂下来，他只好用手把它们拢上去，而且同时向后甩了一下头。这件事好像向他提醒了什么，于是他把他的箭袋从一棵雷劈的枯树洞里拉出来，从里面倒出一些东西——它们是一块平滑的石块和一枚从小屋附近海边捡来的贝壳。

泰山用十分小心的动作，细心地在石头上磨着那枚贝壳的边沿，直到它从秃钝变得锋利。他就像一个有经验的理发师一样干着这件工作，而且时不时地停下来试一试它的锋利程度。不过他学会的这一切并不是哪个大猿教给他的，完全是他自己艰苦摸索出来的技能。等这块贝壳的边沿磨锋利了，他就用左手的拇指和食指拉住一绺前额上的头发，然后用右手拿着贝壳把它们割断。他就这样把他满头的头发一绺一绺地割短了。他并不在乎它们是否好看，让他舒适和不阻挡他的视线才是首要的。因为头上的一绺头发猛然落下来挡住视线，有时可是一件生死攸关的大事。此外，一圈散乱的披肩长发，特别是在流汗或者下雨时，汗水和雨水会顺着它们淌到人手够不到的背上去，这可是非常不舒服的事。

泰山一面给自己理着发，一面脑子里却在不断地想着别的事。他想起了最近一次和大猩猩的战斗，那一回弄出来的伤痕也不过刚刚痊愈。他也想起了他奇怪的第一次梦境和他最近一次跟族里的大猿们开的那个玩笑，现在因那次玩笑而被打的伤处还隐隐作痛呢。也就是这次，他披着弄来的公狮皮，向族里的大猿们扑去，而且还装出狮子一样的吼声(虽然远没有真的公狮那么响亮)，但是大猿们没有一哄而散，却像泰山曾经不断地告诫它们的那样真的群起而攻击他了。这可让泰山吃尽了苦头，要不是小猴子及时出来说明，他差一点儿就送命了。可是泰山想起这事，却还是为他出的好主意而心满意足。

他把自己的头发修割得完全满意之后，发现族里的大猿们对此好像一点儿也不感兴趣似的。他只好收起他的“工具”，悠闲地从树上荡向他常去的小屋。他走了还不到一半的路程时，忽然闻到北面飘来一股强烈的黑人气味。

好奇心，这是人和大猿都有的一种发展得相当完备的遗传性格，立即促使他行动起来去看个究竟。这里有一种使泰山对黑人特别感兴趣的东西，那就是大猿们只是吃、睡和生儿育女，这和丛林里其他的“居民”基本上没有什么大的区别，而这些黑人却还有一些别的奇巧活动。他们会跳舞唱歌，也会把树木和灌木丛割掉，清出一块平地来，在那上面种些东西，然后等它们长大，割下来去修建他们居住的小茅草屋。他们还会制造弓箭和毒液以及煮食物的陶罐，又能弄出一些金属的环子来套在胳膊、腿和脖子上，甚至穿在下唇上和耳朵上。要不是为了他们不匀称的体格和他们中的一个杀死了他最亲爱的养母——母猿卡拉，泰山对他们其实并不缺乏好感。泰山多次想到他们，同时也激起了它对他们的杀母之仇。这是一种奇怪的不容易消解的感情，并不亚于他对希斯塔的憎恶。这种感情只有在以后，他和他们产生了一些有趣的接触时，才渐渐地消减。但这已是后话了。

但是，黑人们的行为常常引起他很大的兴趣。而且泰山从不厌倦偷窥他们的所作所为，还从他们那里学到了不少做法。尽管泰山有时并不完全了解这些做法的真正用意，有时还会产生自己特有的理解，甚至于反过来按他自己的方式施行到这些黑人的身上，去招惹他们，引起他们的烦恼和恐惧，并以此为乐。

现在泰山已经清楚地感觉到，有许多黑人就在不远的地方了，所以只好悄悄地小心地向他们走近。他无声地穿过一处丛林茂密的地方，从树上抓住一根根树枝悠荡前进，或者跳过无路可走的枯枝落叶堆集的地方。

就这样，他终于从树缝中看到了那些黑人。这是一群孟格村的武士，他们正在安装捕猎用的器具。对此泰山已经有些熟悉了，因为他已经看见过他们做类似的事。他们正在安装一个诱饵，准备捕捉一头狮子。在一个带轮子的大木笼子里，他们绑牢一只小山羊，当狮子要吃它的时候一根连着笼门的绳索就会松开，把那头贪食的狮子关在笼子里。这种方法是这些黑人在他们的故乡——比属刚果的欧洲商人那里学会的。因为这些欧洲人会收买他们捉到的动物，或者收购这些动物的皮毛。用这种方法即使捕捉狮子之类的猛兽，也不会伤着黑人自己。不过后来这些黑人因为不堪入侵者的压迫，才从利奥波德维尔移居到这荒无人烟的大丛林里来定居。与此同时孟格村的黑人们自然也把这种方法带到这里来了。

虽然现在这里再也没有白人开设市场收购他们的捕获物，但他们仍然可以有足够的理由，用这种方法去捕捉那些猛兽，例如狮子之类。这是因为首先他们有必要控制丛林里的吃人的猛兽，也正因为他们苦于这些凶猛家伙的侵扰，才决定使用这种方法来驱赶和捕捉它们。其次如果捕捉成功，他们就有了举行庆祝的口实，并且有一场共同杀死一头活的狮子或别的猛兽的欢乐仪式，和分食煮熟鲜肉的享受。

泰山过去已经亲眼看见过他们举行的这种残酷仪式和杀死活的猛兽了。泰山自然习惯于比孟格村的武士们更残忍的格斗和杀戮，所以他并不为这些黑人的残酷所触动。可是，他对于黑人们的这种做法仍然有一种莫名其妙的反感。他并非同情狮子，可是看到狮子被骗进笼子里遭受无法抵抗的袭击时，他却无法忍耐这种不幸的命运。也许他天生像他的祖先一样习惯于公平竞争吧！

有那么两次，泰山就在黑人们回来查看是否成功地捉到猛兽之前,放走过两头误入机关的狮子。他今天也要这样做一下，这是他很快作出的决定，因为他一看到这机关就明白了黑人们想干什么。

黑人武士们把他们的陷笼沿着一条宽阔的象路推到一处靠近饮水水湾的地方以后,就转身离开向他们的村庄走去,也许要到第二天他们才会回来。泰山见他们走了之后,嘴角露出了一丝狡黠的微笑——这是他遗传到的一种表现社会地位的风度。他跟在黑人们的后面,看着他们排成单行地向前走去。泰山隐藏在爬满绿色藤蔓植物的大树枝叶之间，看着黑人们在大树的下面鱼贯而过,而对方却对泰山的存在毫无觉察,他不由得感到一种超乎他们之上的自豪感。

当泰山看着他们走到一处转弯的地方时，忽然发现在队伍的最后面走着一个人,此人让他产生了一种莫名的不愉快。泰山的面部露出明显的憎恶的表情，于是他突然冒出来一个新的想法,一丝嘲弄的微笑慢慢地挂在他的嘴角上。他低头看着那只被拴在笼子里怀着恐惧、咩咩叫的小山羊,它对自己未来的命运一无所知。

泰山于是跳到地上,走近那只大陷笼,踏进笼门之前把那根连着笼门的绳子固定好,免得笼门掉下来把他自己关了进去。然后解开绑羊的绳子,把羊夹在腋下,大踏步地走了出去。

泰山用他的猎刀,一刀就杀死了这只吓坏了的小山羊,并带着血把它拉到水边去,为的是沿路留下血腥的气味和痕迹。在水边,他迅速地掏出山羊的内脏,之后又在水边挖了一个小坑,把他不吃的这些东西埋了起来，然后把羊肉甩到肩上向树丛走去。

他在树上很快就追上了那一队黑人。于是他又跳下树来，把刚刚杀死的小山羊肉埋了起来，免得被专吃腐肉的鬣狗或别的食肉动物，甚至鸟类发现给偷吃掉。泰山现在当然是饿了，但是他毕竟不是只顾肚子的动物，他人类的头脑中还有比饮食更有吸引力的兴趣驱使他去做一些别的事。现在他的脸上挂着微笑，眼睛里闪着期待的目光，他正在满怀激情地准备去完成一件比吃饱肚子更有趣的事。

埋好了羊肉，人猿泰山大步流星地尾随着黑人的踪迹顺着象路赶了下去。距离陷笼只有两三英里的地方，他又追上了黑人的队伍。然后他跳到树上，顺着树枝荡向前去，寻找他实现计划的机会。

在队伍中走着巫师图布托。泰山讨厌黑人们，更不喜欢这个巫师先生。因为他看见过他装神弄鬼的样子，那时黑人们便会对他显出特别恐惧和敬畏的样子。这一点让泰山很不服气。所以他总想有机会和他比斗一下，看看他究竟有多大力气。因为在泰山的脑子里，只有有能力和狮子或别的猛兽角斗的人才值得人们敬畏，就像他在大猿群中是凭着膂力和英勇争得地位一样。

正当黑人的队伍顺着象路弯弯曲曲地走下去时，图布托因为累了，竟慢慢落在了队伍的后面。泰山高兴地发觉了这一情况，脸上露出一种可怕的满足的笑容。泰山像一个死亡天使，在这个什么也没有察觉的黑人上方缓缓地跟随着。

图布托在觉得离村子已经没有多远的地方，竟然坐下来休息了。啊!这可是“天赐良机”，也许这个家伙命该如此。泰山在隐蔽的树枝间，无声地爬了过来。对于黑人迟钝的听觉来说，只不过是微风吹过树叶的沙沙声。泰山爬到这个黑巫师的上方以后，就静静地隐藏在浓密的树叶和藤蔓之间。

图布托就靠着一株大树的树干倚坐在那里。泰山却已经爬到他对面的树上去了，正好截住了他的去路。图布托一抬头也许就会看见他，但是巫师并没有这样做。人猿泰山伏在那里像一座不动的雕像。这时忽然飞来一只嗡嗡叫的毒蜂，在泰山面前盘旋着。泰山认得它，它的毒刺足可以使一个小动物丧命，对于泰山来说也会让他痛好多天。所以，泰山只好一动也不动地待在那里。他的眼神无时无刻不在注意着图布托的动静，但他的灵敏的耳朵却时时倾听着毒蜂飞的方向。这会儿他甚至连眼睛也不眨，就是这只毒蜂飞到他的睫毛上，他也只会睁大了眼睛不去招惹它。所幸它并没有蜇他，只在泰山的脸上停了一会儿，最后居然飞走了。

谁知道它竟又飞向了图布托。它飞到他脸上，并在那里蜇了他一下，痛得图布托愤怒地大叫起来。当他站起身来，向回村的路上走去时，他赤裸的肩膀正好从泰山蹲着的树下擦过。

说时迟那时快，一个皮肤光滑的身影，突然无声地从上面扑了下来，一下子就把图布托扑倒在地上。巫师觉得一个人有力的牙齿忽然咬住了他的肩膀，痛得正要喊叫时，一只大手又掐住了他的脖子。这个黑人巫师企图挣扎出来，但是他就像一个没有多少力气的小孩在一个巨人的手里一样，无能为力。

泰山松开了他握住对方咽喉的手，但是每次图布托企图喊叫的时候，他就又把它掐紧。最后图布托再也不敢喊叫了。泰山半跪起他的一条腿，当图布托又要挣扎着爬起来时，他把他按倒到象路的泥土里去。接着他又拿出那根捆过小山羊的绳索，把图布托两手的腕子紧紧地捆到他的背后，然后把他拉起来，向后转身，沿着象路推着他往回走。

还没有等图布托完全站起来的时候，他已经看清楚了捉住他的原来就是他们常说的那个“丛林白神”。他的心一下子就沉了下来，两条腿也不由得颤抖起来。但是当他沿着象路被推着向前走时，他觉得这个丛林大神并没有杀死他的意思，他的胆子也就慢慢地大起来。难道他害死过村里的小孩子吗?他坑害过妇女吗?干过什么令大神生气的事吗?他一路走一路这样想着，于是有点放心下来。

现在，他们终于走到了图布托和孟格村的黑武士们安排好的笼子前面了。图布托发现那只作为诱饵的小山羊已经不见了，尽管笼子里并没有一只狮子，笼子的门也没有关上。他心里充满了疑惑，却什么也没明白过来。在他迟钝的脑瓜里，还以为丛林大神也许只是要把他关进这只笼子里罢了。

他想错了，在泰山粗暴地把他推进笼子里以后，他瞬间就明白了泰山的真正意图，冷汗立刻从他浑身的毛孔里渗了出来，他就像得了疟疾一样发抖起来。因为这会儿泰山已把他牢牢地捆绑在原来绑小山羊的地方，并且把与笼门连接的绳索也挂在了他的身上。这时巫师先是向泰山哀求告饶，看看无济于事，就求泰山不要让他死得这样可怕。但他的这些要求就好像向公狮子求情一样，因为他说的什么，野兽们都一无所知，泰山这时还是对黑人的言语一句也听不懂，何况这些人在他心里只是杀死他亲爱的养母卡拉的一伙里的一个呢!

图布托的唠叨并没有妨碍泰山的工作,但是却提醒了他,他走后这个巫师会大声喊叫求救的。所以他走到笼外,收集了一大把细草和几根小枯枝回来。他把细草塞进图布托的嘴里,然后在最外面用小枯枝牢牢地把他的上颌和下牙支了起来,最后又从图布托的毛皮围裙上撕下的一条皮条把他的嘴紧紧地勒住。现在,巫师只剩下两只圆圆的大眼睛在滴溜溜地、无可奈何地转动了,另外就是他从额头上不断滴下的一滴滴大汗珠子。泰山就这样离开了他。

人猿泰山首先回到他埋羊肉的地方,把它挖出来,然后找到一处树荫,在那里饱餐一顿,又把吃剩下的再埋了起来。接着他走到水湾的上游,找到野兽们很少去的一处水源,那里正有清冽的泉水从岩缝里汩汩地流出来,于是他喝了个饱。对于别的野兽来说,到下面的水湾喝水是很方便的,尽管那里的水经常被它们搅得很浑浊。可是泰山对饮水却常常是吹毛求疵的。喝完了之后,他又把满手血污洗得干干净净,同时也洗净了那些令人不愉快的气味。做完了这一切后他伸了个懒腰,找到附近的一棵大树,跳上一个大枝杈呼呼大睡起来。

黄昏时刻,泰山被一阵狮吼吵醒了。他翻身看看,太阳已经沉落到西边的地平线下,只留下天际一抹暗淡的光辉。他听见这狮子一路叫着向水湾走去,不由得笑了笑,就又翻身睡去了。

当黑人们回到村子以后,发现他们的巫师竟不知何时不见了。他们等到傍晚,仍不见图布托的踪影,于是纷纷议论起来。有的说巫师怕是凶多吉少,但也有不少人说,既然我们大家都能平安地回来,有法术的巫师还会有问题吗?村里的大多数人都有点惧怕图布托,但惧怕毕竟不是爱戴,所以大家对他的命运不甚关怀。不过武士总有武士的气质,何况孟格还要依仗巫师维护自己的威严和权利呢! 所以他最终派出了一小队武士去寻找图布托,而他自己则躲在家里休息。

被派出去的武士们找了一阵始终毫无结果,但他们却发现了一个向蜜鸟窝,内有大量的藏蜜(向蜜鸟的学名为是非洲的一种食蜜鸟,它常会把人引到有大量蜂蜜的地方,有时它自己的窝内也会有大量偷藏的蜂蜜)。于是他们不由得大喜过望,忙于把这些蜜一窝端了,高高兴兴地打道回村。图布托也就这样注定要一命呜呼了。

这些武士们回到村子以后,向孟格报告他们空手而归。开始孟格很生气,但后来看到他们带回来大批的蜜,也就怒气全消了,因为这毕竟是他们很少能得到的美味。只有村中一个叫作拉巴凯加的年轻人,脸上涂着色彩,正在代替图布托医治一个小孩,一心希望这孩子好转,从而他就可以代替图布托的职位。剩下就是图布托的家人在哭泣和挂念着他的安危。不过,到了明天如果他再不回来,他们也许慢慢就把他给淡忘了。这些都是生活、名声与权力的规律,它们不但在人类文明社会里是如此,就是在丛林里生活而且远离文明的野蛮黑人中也会是如此,不过方式和时间有所不同罢了。人毕竟是人,他们从六百万年以前躲避恐龙的袭击而进了山洞的那一天起,直到现在始终也没有改变过他们的根本天性。

图布托失踪的第二天早上,武士们和他们的村长孟格,出发去察看他们的陷笼是否收到了成效。离陷笼还远,他们就听到了狮子的吼声。大家一齐认为他们这次的捕猎一定是成功了,所以他们一面欢呼雀跃着,一面向他们即将发现重大收获的地点走去。

是的!笼子里果然有一头身体肥壮、头部披满黑色鬃毛的大公狮子。武士们真是高兴得要发起疯来了。他们一哄而上,高喊着蹦跳着向笼子边拥去。可是当他们真正走到笼子边上时,他们的呼喊声一下子就从口中消失了。他们一个个睁大着圆眼,脸上原来兴奋的红润忽然间变成了一片苍白,本来就显得下垂的下唇也和他们张开的大嘴一起垂了下来,停在那里老半天也合不上。当他们看到笼子里的景象时,不约而同地畏缩地向后退去——就在狮子的脚下,躺着昨天还受到他们敬畏的巫师图布托的尸体。

在附近的一棵树上,人猿泰山——我们的格雷斯托克老爷——正从上面观察着黑武士们种种变化万端的有趣表情,不由得悄悄地笑了起来。他对于自己的这次尽管有些残酷的玩笑的成功,颇有些自我满足。他的这类玩笑虽然失败过,就像差一点儿被喀却克族的大猿们打死那次,但这一次却无疑获得了绝对的成功!

在一阵不知所措的恐惧之后,黑武士们又向笼边聚拢来。他们又怕又气的是图布托怎么会进了笼子?那只小山羊哪里去了?甚至原来那个诱饵的一点痕迹都找不到了。尤其当他们走近去看时,让他们倒抽一口冷气的是,他们从前可敬的巫师尸体上所绑的绳子,竟然就是他们原来绑小山羊的那一根!谁能干出这样的事来?他们不由得面面相觑。

拉巴凯加终于最先说了话，这个年轻人早就觊觎图布托的位子了,也从他师父那里学到了几手。之所以今天一早他跟着小队出来,就是因为心里预感到图布托在什么地方发生了不测,如今果然是这样。于是他更有了几分预言实现的神秘感,他第一个对此作出了唯一可能的解释。

“是那个丛林大白神!”他小声说道,“一定是那个丛林大白神干的。”他进一步肯定地悄声说道,带着神秘的语气。没有人反对拉巴凯加的话。当然喽,除了丛林大白神以外谁还能干出这样的事来?而且随着他们对泰山恐惧的增加,他们也更加恨起泰山来了。可是泰山这会儿却抱着双臂坐在树上,浑然不觉,只觉得这是件很好玩的事。

黑人们没有谁对图巴托的死感到悲伤，这不光是因为他们受够了图巴托的盘剥,图巴托向他们索要东西的时候,从来是毫不留情的，而且还因为谁敢保证如果他们中某个人得罪了这个丛林大白神,不会落得像图巴托一样可怕的下场?现在他们开始慢慢走近牢笼,检查它的各个部分是否都很牢靠。然后,他们开始沉闷地推着牢笼,沿着象路向孟格村走去。

最后,他们大大地松了一口气,因为到底把笼子和他们捕获的大雄狮推回村子了。然后，他们把村寨的大门牢牢地关了起来。他们每个人在从放笼子的地方往回走的途中,几乎都有一种暗中被监视的感觉，尽管他们中并没有一个人看见或听见过什么真正的动静。

村里人尤其是那些妇女和小孩一看到笼子里的大狮子和图布托的尸体,一齐发出大声的嚎叫,其中既像是悲伤的感叹又像是歇斯底里的欢呼，弄得村里一团混乱。

泰山从高高伸在村边围栅的大树枝上，把村里这一团乱糟糟的景象看了个一清二楚。接着他又看到妇女、小孩甚至一些武士，开始向笼子里的大雄狮投掷石块和树枝。这样对待一个被骗进笼子的兽中之王，最能引起泰山的反感。他不懂为什么黑武士们就不敢像他一样仅凭着手中的猎刀，凭着手中的长矛，与狮子决一死战。他在丛林中长大，看惯了各种残忍的行为，他自己也是残忍的，但是这样欺凌一个无能为力的动物，尤其是雄狮，他觉得黑人这种为取乐而对动物的虐待与他们为生存的残忍格斗完全是两回事。当然他如果知道自己是一个具有典型遗传性的英国人，就不会奇怪自己为什么喜欢那种所谓的"公平竞争"的交战方式了。可是他现在还一点儿也不知道，因为他至今仍认为他的母亲就是那个被黑人无端射死的大猿卡拉。

正是出于他对黑人越发肆意地欺凌狮子而产生的愤怒，他也越加同情起狮子来。尽管狮子曾经也是他的敌人，可是他对狮子并没有歧视或者蔑视的感觉。就这样，解救这头备受侮辱的狮子和再一次戏弄黑人的想法在他脑子里形成了。而且，他一定要采取某种方式，既救了狮子，又要弄得黑人们狼狈不堪才好。

泰山一面这样想着，一面看到武士们把陷笼从村里的街上推到了两座小屋之间，并派了两个武士把守。泰山知道，他们是要把陷笼和狮子一直留在这里待到天黑之后，以便等到举行他们的庆典时使用。然后看守的武士们又把妇女、小孩和青年人都赶散，否则到不了天黑，狮子就会被他们折磨死。泰山也知道这头狮子到了晚上仍然会成为黑人们的娱乐品，而且，为了让全部落的人都能享受那种残酷的欢乐，那时狮子所受到的折磨也许更痛苦和残酷。

现在泰山已经利用他的丰富的想象力形成了某种计划。他非常了解黑人对神灵和对黑暗的畏惧，所以他决定等到晚上黑人们跳舞和进行他们祭祀仪式到歇斯底里的地步时再去实现他的计划。在此以前他考虑了各种可能发生的情况和应对的措施。

泰山这会儿趁着天黑之前的时光,开始去干准备工作。他悠荡在丛林的树上,迅速向前穿行,他要找些东西果腹。接着他又想到他的计划,尽管上一次他差一点为此而送命,但他还是喜欢用他得来的狮皮去假扮一个角色。所以,不久他就以飞快的速度在树枝上向喀却克族大猿们的憩息地荡去。

就如他所想的那样,他终于来到了喀却克族大猿们中间,但是这一次他并没有像往常一样去惊动他们。即使有的大猿看到了他,也只是向他轻轻地咆哮一声,表示对他的"欢迎",然后就又去做他们各自的事了。泰山径直向他藏东西的树洞走去,从那里掏出了一张叠紧的狮皮,就是那张偷来的宝贝。

带着这件宝藏,他又在树上向孟格村的方向悠荡而去。一路上他也搜寻到了可以饱餐一顿的小动物。到黄昏时,他已来到了村边的大树上,他看到狮子仍然在笼子里走动,可是那两个看守的黑人中已经有一个在打瞌睡了。当然在狮子经常出没的狮乡,一头雄狮并没有什么新奇,何况去戏弄招惹它的兴趣已经淡薄,村里再没有人去注意这头"大猫",而是都忙着准备夜晚的盛典。

天黑不久,村里的鼓声就咚咚地响了起来。随着鼓声,一个半弯着腰的武士跳进了围成一大圈的黑人们当中。在大圈的中心有一大堆篝火，武士的外圈是妇女和小孩。当中跳舞的武士表演着搜寻猎物踪迹的动作，他有时低低地弯着腰，有时屈膝跪在地上装作寻找踪迹的样子，接着又在侧耳做出仔细倾听的姿势。这是个年轻的武士，他长得精干结实而且肌肉发达，火光映照在他裸露的棕黑的皮肤上，照出画满他身体的各种神秘的色彩和图案。

忽然间他做出伏在地上的姿势，接着又猛地跳到半空中。每变换一种姿势，都是要表明他正在跟踪一种气味或踪迹。一瞬间他又跳到围在周围的武士前面，似乎是告诉他们他发现了什么，并且招呼他们跟着他去狩猎。所有这些当然只是模仿，但是他的动作是那样的逼真，甚至泰山都有点沉醉于其中了。

泰山终于看到其他的武士都站起来，跟着第一个跳舞的武士拿起了他们的长矛，跳起了"追猎"的舞蹈。这当然是很有趣的舞蹈，但是泰山知道，如果他要实现自己的计划，就再也不能看下去了。因为他看过这种舞蹈，而且知道接下来就会结束追猎并进行杀戮。最后一定是笼中的狮子被武士们围在中间，几十支长矛会同时向它刺去。

泰山一手夹住狮皮，从他藏身的大树跳到村中的地上，然后从一座座小屋的后面绕到放陷笼的地方。这时，狮子正在里面急躁地走来走去。笼子附近并没有看守的人，大概那两个武士已被允许回到那些跳舞的同伴中去了。他们原本不是为了看守狮子的，因为他们知道狮子自己是不会出来的，守卫只是为了防止村里人预先把狮子打死而已。

就在笼子的后面，泰山整理好狮子皮，然后把它披在身上，接着四肢着地从两座小屋之间爬了出来，正好出现在那些全神贯注地观看舞蹈的黑人们的背后。

泰山发现他们正处在一种兴奋的高潮中，而且正准备去“处决”笼子里的狮子。一会儿之后，观众的圈子就会散开一个缺口，好把陷笼和那里面的“囚犯”推进来。这正是泰山等待的时刻。

最后，只听得一声由孟格发出的号令，在泰山前面原来围观的妇女和儿童们立刻站了起来，让出一个宽阔的路口。也就在这一时刻，泰山发出一声低沉的类似狮吼的咆哮，穿过路口径直朝那些近似疯狂的舞蹈者走去。

一个妇女首先看见了他，刹那间泰山的周围响起了传染似的惊恐喊叫。篝火的一道强光正好照射到泰山披的狮皮的大头上，所有的黑人都吓得跳了起来。正如泰山所预料的，他们以为他们捕捉的狮子从笼子里出来了。

泰山又吼叫了一声，所有舞兴正酣的武士们，也都立刻停了下来。他们捕捉到一头狮子，把它牢牢地关在笼子里，而现在它却自由自在地跑了出来。这在他们看来简直是不可思议的事，他们的神经还无法适应这一意外事件。妇女和孩子们早就飞奔到附近的、不足以抵挡猛兽的小草屋里去了。武士们吓蒙了，但他们只愣了一小会儿，也随着妇女们跑散，甚至比她们跑得还快。结果泰山现在孤零零地站在村街的当中。

就这样孤单地站在街当中，这并不是泰山原来所想象的，也和他原来的计划并不一致。这时躲进小屋中的武士们，先是有一两个向外探头探脑，接着越来越多的武士都在探头向外张望，他们正等着狮子下一步的动作，是向他们扑来，还是向村外逃去?

武士们现在稍稍恢复了一点勇气，他们开始把长矛横在手中，等待狮子前来进攻或是看着它逃跑。可是忽然间那头狮子竟然站了起来，就像人一样只用两条后腿站在地上。那件棕色的狮子皮竟然落在了地上，在武士们视线里显出了一个直立的人形。在火光的映照下他们发现，原来是丛林白神!

有好一会儿武士们、村民们惊得目瞪口呆，愣在那里动也动不得。他们对这个幽灵似的家伙的恐惧，一点也不亚于对一头在丛林里自由走动的狮子或别的猛兽。当然他们也希望能聚集起勇气和力气与他决一死战，如果他们能够的话，只是目前看来这还是一种妄想。因为他们这会儿头脑里只有恐惧和惊慌，以至于只好眼睁睁地看着泰山收拾起狮子皮，跳到树上，消失在黑暗中。等了一会儿之后，黑人们才缓过神来，待到他们再挥动着长矛去找泰山时，这位丛林白神早已不知去向。

其实，这时泰山并没有走远。他把狮子皮放在一棵大树的枝杈上之后，又从黑暗中跳到地上，顺着小屋的阴影，很快绕到了放狮笼的地方。他跳到陷笼的顶部，抓住曾经吊着笼门的那根绳子，把笼门拉了起来。于是，一头体态硕大而且精力充沛的雄狮又跳到村里去了。

这时几个正在四处寻找泰山的武士，几乎不约而同地在火光的映照下看见了大雄狮。哈!这个大白神又在弄鬼，还装成狮子又回来了。难道他以为自己还能老是蒙骗孟格村的武士们吗?这回可要给他点颜色看看!他们早就在期待着和跟前这个家伙算一次总账了。于是他们一齐挺起长矛向他冲去。

这时，妇女和孩子们听到外面武士们的议论和呐喊，也都跑出来看热闹了，她们也想看到丛林白神的下场。这时那头雄狮也转过身来,发出如电一样的蓝色目光,大摇大摆地径直向着武士们迎去。

带着野性的呼喊，武士们也向这头被认为是丛林白神的雄狮走去,一面还用他们的长矛向他挥舞威胁。他们肯定,这一次丛林白神准会落入了他们的手中!

就在这时,雄狮一声怒吼,发起了进攻。

孟格村的武士都横起了长矛,迎上前去。一边喊叫,一边向狮子发出嘲笑,他们仍然以为,它不过是大白神伪装的。一堵黑色皮肤的人墙,正等待着狮子扑上来。尽管这样,他们内心也还有几分胆怯，因为他们不知道丛林白神是否还有刀枪不入的本领。何况眼前这头雄狮，跟他们刚刚看到的丛林白神伪装的狮子,走路的姿势大不一样,它太活灵活现了。不过,如果这头狮子真是白神伪装的话，他皮下光滑的肌肉是无法抵挡黑人们排矛齐刺的。

在武士们的前面,还站着一个高大、年轻、健壮的武士。他大约是这一排武士的指挥。他傲慢而自信,惧怕吗?不!那不是他的性格。他已经把长矛对准了狮子宽阔的胸膛。而就在这时,狮子已经迎着他走来,它的前爪抬起只一挥,就把他的长矛挥出去老远,就像对付一根小小的枯树枝一样。接着狮子又向他一扑,他站立不住,被狮子扑倒在地。然后狮子冲入人群,左扑右咬,爪子不过撕扯了三五下,就倒下了好几个。剩下的黑人看到这情景,立刻撒腿四散逃走了。原来这是一头真的雄狮!刹那间,在村子的中央只剩下狮子雄赳赳地站在那里，还有几个武士的尸体倒在他面前。

吓坏了的村民们东躲西逃，看起来小草屋并非是可靠的藏身之处。到哪里去呢?最后,一个黑人忽然想起来,把村寨的大门猛地推开,向那些浓密的灌木丛下钻进去。于是村人就像一群羊一样,都学着他的样子,逃进灌木丛和树林中,能爬树的更爬到村外的树上去了。村里最终只剩下了狮子和几具武士尸体。

那些爬到树上去的孟格村的人，看见狮子衔着一具尸体的肩膀正向村外慢慢走去，然后隐没到丛林里。他们看得浑身战抖,而这时蹲在另外一棵树上的泰山却看得笑起来。

狮子走得看不见了之后的一个小时左右，黑人们才试探着从树上爬下来,或从灌木丛深处钻了出来。他们一个个睁着大圆眼睛东张西望、抱臂缩头、小心翼翼地往回走,他们这会儿觉得丛林白神和狮子比黑夜的寒冷还更让他们害怕。

“那一定是他,”有一个黑人嘴里咕噜着说,“那个丛林白神。”

“他一会儿变成狮子,一会儿又亲自出来。”另一个黑人悄声说道。

“我看见他变成狮子把木兹阿的尸体拖走,大概拉到树林里吃掉了。”第三个人一边打着颤一边说。

“我们在这儿再也住不下去了，”一个黑人妇女嚎哭着说，“拿上我们的东西再找一个远离可恶的白神的地方去吧!”

但是到了第二天早上,太阳一出来,他们就好像又恢复了希望和勇气。头一天晚上的事,不过只是为泰山又增加了一些神秘感罢了。就这样泰山在丛林里的威名大震,这不光是因为他有从小在猿群中和丛林里锻炼出来的超常强健的体魄，而且还因为他有一个人类的头脑去指挥和使用它们。

十二
和　解

天空万里无云，皎洁的月亮普照着寰宇，月亮看上去是那样地贴近大地，人们甚至以为，她会紧擦着在轻风中浅吟低唱的树梢而过。今晚泰山正在丛林里游荡。他，一个力大无比的猎人、杀手、人猿和勇敢的少年，为什么要在黑暗的丛林里这样到处闲逛?连他自己也说不清楚。当然不是为了寻食，他今天吃得好极了，并且把剩下来的肉藏在一个很安全的地方，为下明作好了准备。也许是因为生活的欢乐，驱使他从树上的栖息处下来，到地上锻炼他的筋骨。此外，他也是被强烈的求知欲所驱使，在这样清朗的好天气里去理解和探索夜晚丛林的秘密。

丛林白天是库都(猿语，太阳)掌管的。它使得丛林和晚上戈罗所掌管的完全不同。每天的丛林都有它自己的景色，它的光，它的鸟，它的花，它的野兽，它的喧闹。但是夜晚的光和影却与白天完全不同，如果人世还有一个阴间的话，那么夜晚的丛林就是那个样子。它的鸟、它的花和野兽都与白天见到的两样，它们就好像是戈罗倒换的另一班人马似的。

正是因为这种不同，有时泰山倒喜欢在夜间出行，去观察一下丛林夜间的景色，因为夜间更富于浪漫气息。当然晚上会有更多的危险，不过危险对于泰山来说不算什么，反而是一种刺激。尤其是夜晚的各种声音，狮子的吼叫，猎豹的咆哮以及鬣狗那令人讨厌的吠嚎，在泰山听来都有点像美妙的音乐。

看不见的动物的轻轻的脚步声，微风吹过树叶的沙沙声，野兽走过压倒草丛的声音，成百上千对闪着猫眼宝石似的光彩的眼睛，一万种不同的声响，都在宣布着他们在黑暗中的存在。而且尽管能闻到它们的气味，却看不到他们的形象，这一切都成为了泰山为之心醉的夜晚的热闹生活。

今晚泰山在树上悠荡了一大圈，他先是向西，然后又向南，这会儿又向北绕回来。他的眼、耳、鼻时时保持着警惕，耳朵中混合着各种不同的声音，使他有一种特殊的感受，这种感受是太阳落山前所没有的。所有这些与白天的区别，让他总以为这是属于月亮哥罗的世界。这一切都使他着迷，因为他认为他对他们太熟悉了。他觉得白天太阳库都所统治的一切，到了晚上就都被哥罗改变了。他把白天的一切归为有生命的，而把夜间的一切归为神秘的、令人思考探索的。

正当泰山向北悠荡时，他忽然嗅到了一股黑人的气味，混合着一种呛人的烧木头的烟味。泰山迎着夜间的轻风，顺着发出这些气味的方向飞快地荡去。现在透过浓密的树叶，已经能看到前面不远处地上的一堆熊熊燃烧的火光了。他看见五六个黑人武士正围着一堆篝火坐着，他们无疑是几个出来狩猎的孟格村的武士，天晚回不去而留在这里。在他们的外围有一圈不规则的临时匆匆搭起来的鹿砦，这是一些杈丫和刺一齐向外的树枝，加上中间的篝火，显然是为了防备肉食野兽的袭击。

这样的准备连他们自己也未必完全放心，所以，他们个个都时常睁大的圆眼东张西望。而这时雄狮努玛和母狮沙保的吼声正向他们逼近。此外，在附近也还有别的生物，因为泰山可以清楚地看到它们闪着绿色和蓝色光亮的眼睛。这时，一个黑人站起来，从火堆上拿起一支烧着的小根木柴，向一双发亮的眼睛掷去，于是它们立刻就消失了，接着黑人就又坐回火堆前了。可是不久他又站起来投掷了一次，过一会儿又投掷一次。泰山就这样很感兴趣地看着他们吓退那一次次逼近的一双双的眼睛。

最后，雄狮和它的伴侣母狮也来了。那些原来散在周围的眼睛也不得不离它们远一点了，因为它们也怕这林中的“大猫”。接着狮子们发亮的大眼睛就在黑暗中闪亮起来。有的黑人看见它们吓得用双手捂住了脸，只有原先那个不时向周围野兽投掷柴火的黑武士，又拿起了一根稍大的柴火向它们投去。这对饥饿的狮子也只好向后退了几步。泰山看到这景象特别感兴趣，从此他对于火又有了除烧食、取暖以外的理解。原来丛林里的动物都怕火，这样一来火就又成为使用它的人的保护者了。以前，泰山有过一次对火的体验，那是有一次他到孟格村里去，在黑人用过的火堆里抓了一下，抓住一小块火炭，这东西竟让他疼痛了好多天。正如俗话说的：“一次经验就足够了。”

每次在那个勇敢的黑人投出一块木柴之后，那些闪亮的眼睛总会消失一会儿，虽然泰山完全可以听到它们轻轻的脚步声和嗅到它们的气味，清楚地知道它们仍然在附近。接着黑人又投出了一两根柴火，说明狮王陛下又靠近了。

有那么一会儿，狮王就在那里一动也不动，就像永恒的小双子座那样在夜间闪烁着它的光芒。然后雄狮慢慢向前，靠近黑人们匆匆建起的鹿砦。别的黑人都害怕地藏在他们临时用草搭的小棚里，只有一个黑人还在那里守望着。当这个黑人看见雄狮再次走近时，又投出了一根稍大的燃烧着的木柴，于是雄狮和它的母狮就又后退一点，但无论怎么说，并没有退去多远，也没有停很长时间，就又向前走来。而且，狮王开始在鹿砦前走来走去，两只发亮的眼睛盯着火堆，不时发出低沉的咆哮，表示它的不满。在“双子星”左右稍远处各有一些小的“卫星”，时不时地也在鹿砦前面闪烁，它们当然是狮王的臣下了，只是它们不敢赶在雄狮的前面行动。所以，有时守卫的黑人也不得不向它们投一两根小的柴火，以吓退它们。

泰山兴趣盎然地注视着这里发生的一切。他看到雄狮在头几下被吓退之后，胆子越来越大，它向前靠近的次数越来越频繁，距离也越来越近。泰山从努玛的吼声中，已经听出来它越来越饥饿了，而且知道它决心一定要弄一个黑人来充饥。可是，它怎样才能躲过那可怕的致命的火焰呢?

就在泰山这样想着的时候，努玛突然停止了在鹿砦前的踱步，两眼定定地望着身前的鹿砦一动也不动，只有那向上竖起的尾巴，在左右不停地摇摆，说明它正在准备行动，而这时它的伴侣母狮却在它身后不停地走来走去。那个守卫的黑人看出狮子将有所行动，便赶快招呼他的同伴们起来抵御，但是他们都太胆小，除了挤在一起瑟瑟发抖和发出痛苦的呻吟以外，什么也干不成了。

这个黑人抓起一根大一点的柴火，径直向狮子的脸上扔去。

哪知道这一回狮子只微微一闪，接着就发出一声怒吼，直向前冲来，到了鹿砦前面，只见它弓腰一耸就蹿过了鹿砦，直扑黑人武士。这个黑人一看到狮子耸腰蹿跳，也立刻以他特有的灵敏，转身拉开背后的鹿砦，直奔附近的一棵大树而去。还没有等狮子扑到他，他已经爬到树上安全的地方了。泰山看到这情景，不由得对这个黑人动作的快捷和勇敢产生了一种说不出的欣慰和喜爱。

雄狮扑了个空，但并没有就此罢休。它像从外面蹿进来时一样敏捷，转身衔起一个趴伏在地上嚎哭的黑人，又从鹿砦的低处蹿了回去。尽管拖了一个人，它还是像进来时那样，不费力气而且动作迅猛。接着它拖着那个黑人走到它的伴侣沙保那里，与它一起隐入黑暗之中。起初还可以听到那个黑人悲惨的喊叫，后来就只剩下狮子低沉的咆哮声了。

过了好一阵，雄狮又出现在火光能照见的地方，故技重演，又从篝火旁的小草棚子里拖走了一个脚露在外面的黑人。此时篝火已经烧得有气无力的了，黑人的嚎叫和狮子的咆哮，最终都向黑暗中隐去了。

泰山伸了个懒腰，从树杈上站了起来，今夜的这场表演让他看得有点厌倦了。但是，他却有点不明白，为什么被狮子叼走的那两个黑人，只知道伏在地上或躲进小草棚子里，而不像第一个武士那样勇敢和敏捷，先是向狮子投火把，然后又快速地逃到树上去？在月光下，泰山就这样一面想着，一面向喀却克族群经常憩息的空地方向从树上悠荡过去。他还想到，这会儿大猿们也都会在空地周围的树上休息，以避免狮子的袭击。

然而等他找到他经常休息的地方，躺下来蜷起身准备睡觉时,却一点睡意也没有了。有好长一段时间,他都是似睡非睡地思来想去。他仰面朝天看着天上的月亮和稀落的群星,不禁奇怪起来,它们为什么总是吊在天空不掉下来,是什么力量让它们挂在那里?他有一颗好奇的脑瓜,老是不断地提出一些他自己也无法回答的问题。在孩童时,他就问过不少让养母母猿卡拉目瞪口呆的问题。现在他长成一个青年,似乎更有比孩童时多得多的问题了。

泰山不光满足于知道发生的是什么事情，他还想知道事情为什么会发生,它们将来会怎样？他对生和神秘的死亡同样感到有趣和不可理解。无数次他剖开他杀死的野兽,想看看它们的胸膛里哪些地方藏着生命而哪些地方又藏着死亡，有许多次他都看到那动物的心脏仍在跳动。

凭他的经验,他终于认为生命就藏在生物的心脏里,有许多次只要他的猎刀刺进那里去,多么凶猛的野兽也会立刻死亡,而刺向别的地方却远没有这样的效果。因此,他把心脏叫作“红色有呼吸”的东西,并且以为它是藏着生命的器官。

对于人头脑的作用,他根本无法理解。他不知道正是脑子把来自感官的知觉转译、分类和标明它们的性质作用,却以为只有手指才有触觉,并以此来感知外物;只有眼睛才看得到周围的景色和东西;只有耳朵才听到声音;只有鼻子才嗅得到气味。这些理解与我们社会里无知的孩子或儿童们的理解差不了多少。

他也以为自己的咽喉、皮肤和头发都是传递感情的体系。例如,当卡拉被害死以后,他感到他的嗓子有一种异样的感觉,促使他只好不断地抽泣;遇到蛇时他感到他的皮肤都紧缩起来;而当一个可怕的敌人走近时,就会有头发从头皮上竖起来的感觉。

想象力,如果一个孩子有什么想象力的话,至多是充满了对周围大自然的好奇,因而产生许许多多的疑问。可是泰山可以去问谁呢?周围都是动物,卡拉在的时候他时不时地问过卡拉,聪明的母猿也只是搔搔她的头皮无法回答。现在他的问题更多了,去问周围的动物吗?大象?猴子?这都是问道于盲!如果他去问喀却克族的大猿们,例如去问冈吐为什么下雨?这个老猿大概只会茫然地看着他老半天什么也说不出来,然后就又去捉虱子去了。他有时也去问老母猿努姆格,这是喀却克猿族中公认的知道得多、经历得多的老猿。当泰山问到它为什么有的花在太阳落下后就合起来,而有的花却偏又要在黑夜里开放时,让他吃惊的是努姆格竟然从来就没有注意过这样有趣的事,尽管它能清楚地告诉他,附近什么地方有最肥的蛴螬。

对泰山来说,上面那些他想到和遇见的问题是奇怪而难解的,它们都要求他运用想象力和智慧去加以解释。他看到花开花谢,某些花总是面向太阳;他看到一些树叶随微风而开合;他还看见一些藤蔓植物顺着大树从树根爬上树干、树枝、一直到树顶。在泰山看来,那花、那树、那藤蔓都是有生命的东西。他有时向它们说话,向月亮高喊,甚至于对着太阳大叫,但让他大失所望的是,它们从来也没有回答过。虽然他知道微风吹过时,树叶的沙沙声就是它们之间的窃窃私语,但是他问过它们问题,它们也都哑口无言。

他把风归因于树和草。他想正是由于它们的摇来摆去,才产生了风，因为此外他再也想不出另外的理由来解释这种现象了。下雨的原因，他也终于找到了答案，那大概是月亮、星星和太阳因为某种伤痛而流出的泪水，尽管这解释太不可爱也太缺乏诗意。

今夜他也像往常那样思来想去，刚才的许多事让他非常兴奋，所以更加难以入睡。他思着想着，忽然发现了什么答案，于是突然激动起来。同格正睡在他近旁的树杈上。

“同格。”他喊了一声。同格猛然惊醒起来，以为有什么危险逼近。

“看哪!同格，”泰山指着天空的星星兴奋地说，“那是努玛和沙保的眼睛，那边是猎豹的眼睛，那更小的一定是鬣狗那畜生的眼睛了。它们都等着机会跳过去把月亮吃掉。看呀，月亮的眼睛、鼻子和眉毛今夜不是清清楚楚了吗?那把它照亮的光，一定是它燃起的要吓退野兽们的篝火。”

总之今夜刚才看见的事，引起了他这些联想。

“所有在它周围的那些亮晶晶的东西都是盯着她的眼睛。但是，它们不敢太靠近它，因为它们都怕火。都是因为有火，天上的努玛才不敢靠近戈罗。同格，你看见了吗?也许有一天晚上努玛饿极了会跳过围着戈罗的荆棘丛，把戈罗吃掉。那样一来，当太阳落山的时候，我们只能处在一片黑暗中了。将来也会有没有戈罗的时候，那是因为戈罗太懒了，睡过了头，也可能是它白天跑到天上去的时间太长，晚上就赶不回来了，它忘记了晚上来照亮丛林和它的百姓。”

泰山就这样根据他今天所看到的事，任意这样解释着他曾经看见过的天象。尽管他说得头头是道、兴趣盎然，同格却像个傻子一样，一会儿望望泰山，一会儿又望望天空，显出一种莫名其妙的样子。就在这时，一颗流星带着光亮的尾巴划过夜空。

“看啊!”泰山喊道，“戈罗向努玛扔过去一根燃烧着的树枝要吓退它。”

“努玛只会在地上，它连树也爬不上来，它怎么到天上去狩猎呢?”尽管这样说，同格今天似乎也有点害怕起泰山指给它看的那些星星了，就好像它是头一次看到它们。其实，这些星星在同格头上不知存在了多少年，它们几乎每天夜里都在同格头上闪烁，但这是头一次同格这样看待这些小亮点。以前它们对同格而言就像是一些花一样，因为它不吃它们所以它对它们也就不感兴趣。这是一般动物的天性。

同格好像受了泰山的传染，今晚也辗转反侧起来。它盯着戈罗附近的那些亮点，也生怕戈罗被它们吃掉似的。没有了戈罗，它们还怎么跟着土鼓跳舞呢?它瞟了泰山一眼，心里想他为什么和别的大猿不一样? 没有谁像它的朋友泰山这样有这么许多稀奇的想法。同格也搔起它的头皮来。是的!要不是泰山比部族中任何一个大公猿都聪明而且勇敢，他怎么会帮了它那些忙?

以前同格以为泰山要抢它的娣卡，泰山却从黑人手里救了它。它和娣卡的小巴鲁不也是泰山救的吗?那一次也还是泰山帮着追踪，想出了一些办法才排除危险，从外族大猿手中救回了娣卡。泰山给了同格这么多次救援和帮助，尽管同格只是一个大猿，它也懂得知恩必报。它和泰山之间的友谊已经成了一种习惯、一种传统，以至到永远。尽管它从来也不会向泰山表示什么爱戴之情,但是它会为泰山去战斗到死,因为泰山也曾为它这样做过。这一点泰山知道,同格也是知道的,只是它们都不会表达出来。因为猿的语言里没有表达这种情感的词汇,它们只是把这种情感付诸行动。不过这一次同格的确困惑起来,就连他睡下以后还在不断地想着泰山向它提出的问题。

第二天早上,它仍然想着头天晚上泰山提出的问题。倒不是告密,它只是憋不住要说出来罢了,所以,它就对冈吐说了。它告诉冈吐泰山说星星都是窥伺戈罗的野兽的眼睛,早晚天上的努玛会把戈罗吃掉。对于大猿来说,世界上所有伟大的东西都是雄性的,所以它们不认为戈罗是雌性的。

冈吐想起它见过泰山和猎豹跳舞的事,其实它根本就不明白这是泰山用他的绳索套住猎豹的脖子,把它拴在树干上,然后引逗它,使它跳来跳去;另一头公猿苟赞想起泰山说过树叶和树叶说话的事;还有的说起泰山把蒂宝小黑孩弄到部落里来养的事;也有的说泰山在海边的小屋里藏着什么可怕的东西。是的,泰山曾把小屋里书上的图画给一两个大猿看过,可是它们一点兴趣都没有,这使泰山大失所望。后来还有的公猿说起泰山和大象很要好,它曾看见他躺在象背上,和大象说话,指挥着大象走到什么地方去。

这几个公猿在这里议论了半天,冈吐终于得出了结论:泰山不是个大猿。它说:“他将来说不定会带着努玛把我们的戈罗真的吃掉。”接着他就对泰山产生了敌意,挑拨说,“我们要把泰山杀掉!”

同格立刻生起气来斥责道:“杀死泰山?!谁敢?那就要先杀死

同格!!”结果同格和冈吐就这样不欢而散。同格气哼哼地找食物去了。

不过还是有几个大猿留在冈吐跟前,它们都有点怕泰山,又赞赏冈吐的体力。它们想起了好几件泰山做过的事,是大猿无法理解的。冈吐又一次说起泰山不是大猿,他不过是和黑人一样的白“人”罢了,应该杀死他。其他的几个大猿想起泰山可能会使它们没有戈罗,也就随声附和起冈吐的意见来。它们用一齐咆哮的方式来表白它们的一致。

这时,娣卡正好听见了,它并没有赞同他们的意见,相反它露出獠牙对着它们咆哮了两声,然后就离开了它们,找泰山去了。可是它没有找到泰山,因为这会儿他正在远处的原野上咆哮着追捕动物。它最后还是找到了同格,告诉它冈吐和另外几个公猿的计划。同格听了一面直跺脚,一面发出怒吼。它的愤怒使它的血液在沸腾,眼睛在冒火,它的上唇噘起,露出了他的獠牙,而它脊背上的鬃毛也倒竖起来。就在这时,突然有一只灰鼠从它面前跑过,被它追上抓住扯得粉碎,以发泄它的怒气。不过没有多久它就又似乎忘了自己怒气,而去干自己的事了。大猿的习性就是这样。

在几里之外,这时泰山正懒洋洋地平躺在大象宽阔的脊背上。他不时地用一根小树枝搔着大象的大耳朵,而且不停地和这个体形庞大的朋友诉说着他那颗盖满黑发的脑瓜里随时想到的事。大象究竟听懂了多少,或者什么也没懂,似乎不重要,但它无疑是一个很好的倾听者。大象慢吞吞地左右摇晃地走着,享受着它的朋友在它耳上搔痒的舒适,它已经感到很满足了。

狮子闻到了人的气味，小心地向前走来。等到它看见是泰山趴在象背上时，便失望地转身走了。狮子一面不高兴地咆哮了两声，一面寻找更有利的捕猎环境去了。

微风吹来一阵狮子的气味，大象立刻扬起它粗壮的大鼻子，而且大声地从鼻子里吹出呼噜的声音来，其实这时狮子已经走开了。泰山清楚地看见了这一幕，便放心地在象背上翻了个身，舒服地伸开四肢仰面朝天地躺在那里，信手折了一根带叶子的树枝，左右摇着赶走在他脸上和象背上飞来飞去的蝇子。

“吞特！生活多好啊！躺在凉爽的树荫下有多好！那里有绿草和好看的花儿，这都是那个不拉姆吐姆木留给我们的。他对我们可真好，不是吗？吞特，他准备了柔嫩的树叶、树皮和青草给你吃，而给我他准备的更多，像鹿、野猪还有水里的鱼，树上的果子，灌木林子里的坚果和地下的块根等等。他给地上的每一种生物都准备了他们最爱吃的东西，不是吗？而他对我们的全部要求就只是要我们强大壮实，并且按照需要去得到我们所要的。是的！吞特，生活多么好！我可讨厌死亡，我自己绝不愿死。”这就是泰山逐渐自发地成长起来的思想。泰山虽然生长在大猿的群体中，没有谁去教给他什么思想，但是他有一个万物之灵的“人”的脑子，它在不停地思索。就这样，他一天天想的事越来越多，认识也在增加。尽管在我们听来，他的思想有的很可笑，可是假如我们处在他的环境下，也许想的东西比他还可笑，不是吗？

大象听了泰山的一番话，嗓子里发出了一阵呼噜声，不知是否表示同意他的话，但还是向上伸起了他的大鼻子，然后卷回来在泰山的面颊上和脖子上乱擦一阵，也许是表示他对这个躺在他背上乱想的朋友的爱抚吧!

“吞特,”泰山忽然想起来对大象说,“咱们现在朝喀却克大猿族的地方去吧!你朝那个方向边吃边走。我就骑在你的背上不下来了。”泰山这样说着,拍拍大象的脖子。大象就真的按着泰山说的方向,转身摇着他的小尾巴慢慢地向前走去。

大象沿着一条布满树荫的象路走着,时不时地停一下,用鼻子扯下一根长满嫩叶的树枝卷进嘴里,有时也顺便撕下路边树枝上的一块树皮卷进嘴里。而泰山这时却四肢伸展地趴在象背上,他两腿叉开着跨在象身的两侧,一只手支着下巴,时时东张西望着。就这样,泰山和他的朋友吞特悠闲地朝他的大猿部落而去。

就在他们从北面快要接近大猿族那块聚居的空地时,从南面出现了一个人影。那是一个体格健壮,身材高大的黑人武士,正在小心地穿过丛林。他每走一步都注意向四面张望,生怕从什么地方忽然出现危险情况。然而,蹲在最南面大树上守望的一只大猿却看见了他。它是喀却克族已经实行了好久的守护制中的三个守护大猿之一(最初还是照泰山的主意安排的)。黑武士正从它的树下走过。树上的大猿让他不受惊扰地走了过去,因为它看到他只是一个人从这里经过。就在这个武士刚走进空地的边缘地带,忽然树上的大猿在他身后发出了一声的喊叫,接着四面都有了同样声音的回应,好几个大公猿都从树上跳下来响应这战斗的召唤。

那个黑武士刚听到头一声喊声时就停了下来,这时他还看不到一个大猿,但是他知道这是那些经常憩息在树上的大猿们的喊叫声。他不由得恐惧起来。这不光是因为这些大猿的凶猛，还因为他们长得有些像人的体形，使黑人们觉得他们比别的野兽更为神秘。

但是,布拉班图可不是胆小鬼。他听到在四面都有了大猿的叫声,预感到要逃跑已经来不及了。因此,他只好站在空地边上，挺直了手中的长矛，嘴里发出一声带着恐惧的无奈的战斗的呐喊。这一次他可要拼死一战了,他无疑会输掉自己的性命,但是他已无处可逃。布拉班图是孟格村最英勇的武士,孟格的副手，经常领着武士们外出狩猎的英雄，今天可是落到走投无路的境地了。尽管如此,他也要决一死战!

泰山和大象听到守望大猿的那一声喊叫时，恰好就在空地的北面。他立刻从象背上翻身起来,跳上了附近的一棵大树,在头一声的回声还没有完全消失之前就抓着树枝向空地方向迅速地悠荡过去。当他到了那里时,看见七八头大猿已经围住了一个黑人。泰山发出一声尖利的叫声,听起来让人毛骨悚然,接着就直奔那将要发生战斗的地方而去。他憎恨黑人比他憎恨猿群中他的几个对手还强烈，不正是他们中的一个杀死了他的卡拉猿妈妈吗?现在又是族中的谁被他杀死了?不会是他可爱的朋友娣卡吧?这可是一个极好的机会,就在空地上了结这个送上门来的黑家伙的性命!

泰山问了旁边的大猿们，他们却都没有任何一个族中的大猿被害。只是因为苟赞在担任守卫,看见那个黑人从丛林里走过来,所以发出了警告的呼叫,就是这么回事。

人猿泰山终于走到一圈大猿的跟前，推开它们中的一个走到中间来。原来它们还没有一个是发怒发狂准备和黑人打斗的，只是听到警告围拢来看个究竟。泰山一下子就认出来，这个黑人就是昨天晚上用火把投掷狮子的那个勇敢的黑人。当时，他的同伴不是趴在地上发抖，就是钻到草棚子里躲起来。而他，在狮子跳过鹿砦扑进去时，敏捷地拉开背后的鹿砦逃到树上去了。泰山尽管讨厌黑人，但对于这位聪明的勇士，却产生了从来也没有过的怜惜。泰山毕竟尊重和喜欢有勇气的人。他会毫不胆怯地在任何时候和一个黑人进行战斗，但是，他却不愿凭着人多势众去欺负一个勇敢而有智慧的黑人。所以，他转身对周围的大猿们说："走开，去干你们各自的事吧!让这个黑人平安地走他的路。他不会伤害我们的，昨天晚上我看见他用火和努玛打斗过，他是个勇敢的黑人。我们干吗要伤害一个勇敢的人，何况他并没有伤害过我们，让他走吧!"

有几个大猿听从了，有一个却咕噜着说："杀了他!"

又有一个咆哮着喊道："连这个白猿也杀了!" 它正是首先发出警告的苟赞。

它的说法正中冈吐的下怀："杀!杀!杀死泰山。"

现在，有几个大猿已经觉得对付泰山比杀死黑人更有趣，它们已经有点要发狂了。这时突然有一个浑身毛茸茸的家伙冲过来，把一个大猿一下子就甩到一边去了，就像一个有力气的大人丢开一个孩子一样。它就是泰山最好的同伴，强壮的同格。

"谁说要杀泰山?"它气哼哼地问道，"谁杀泰山，先要把我同格也杀了才行。谁能杀同格?!我先就把它的五脏揪出来喂鬣狗。"

"我们能把你们都杀了，"冈吐说，"我们多，你们才两个。"冈吐显然没把黑人当回事。泰山知道它说得对,同格当然也明白,但是他俩谁也不会胆怯后退,这不是雄性大猿处事的方式。尤其是泰山和同格,绝不会因形势不利就逃跑。

“我是泰山,”泰山大声说,“我是泰山,最有力气的猎手和杀手,在丛林里泰山是无敌的。”其实,泰山也明白对方的公猿比自己这一方多好几个。

对方的公猿们一个个重新鼓起勇气和力量，战斗的双方在一步步接近，公猿和泰山都在调整他们的心气和状态准备进行一场战争。

冈吐走过来,它的短腿正像两条短木桩,让它只能一步步向前移动。它向泰山嗤着鼻子,一遍遍地发出嘶嘶的声音,并露出了獠牙。泰山也发出一种低沉的威胁的咆哮声。他们会使用这种战术坚持一会儿，但是早晚他们会进入一场互相厮打咬扯的混战,直到最终把对方消灭掉。

就在这时，让泰山大为奇怪的是，孟格村的黑人并没有逃走,反而站在泰山的身旁,横起手中的长矛,面对着泰山对面的冈吐,准备和泰山并肩厮杀一场。这是怎么回事?泰山从来没有和黑人有过这样的经历。对于孟格的黑人,他不是扮演复仇者、恶作剧者,就是对黑人的弱小者给予怜悯救助的强者。还没有黑人敢成为他的并肩战斗者。可是今天这个黑人不但没有乘机逃走,反而和他站在了一起。此时,泰山心中升起了一种从来也没有过的异样的温暖的感觉。

布拉班图,这个黑人,从泰山拨开周围的大猿们挤进来,站到他跟前的一刻起,就睁大了他的圆眼睛望着泰山。这个在孟格村里传说了很久的丛林白神，它今天还是头一次亲眼看到，而且又是离得这么近。他听说这个白神是和这些浑身毛发的大猿生活在一起的，也听过许多他的恐怖行径和一些救人的善事。他听看见他的人描述过他的样子，他因为常带着人外出打猎，却总没有见过他。

布拉班图当然不懂猿语，但是他看得出泰山和一个大猿一起正同别的好几个大猿在争论什么。而且他还知道起初是和他有关。因为他看到泰山的眼光里对他并无恶意，还向他打手势让他赶快逃走。相反和泰山争吵的几个大猿却用凶狠的眼光看着他。后来他又看到泰山和那个与他一起的大猿，都站到他的前面背对着他。原来在他身边的两个大猿，都聚到泰山的对面去了。虽然这似乎不太可能，但是现在泰山与和他在一起的大猿，显然是要保护他而和对面的大猿形成了对垒。他记起了泰山饶过老孟格的事，也听说过他救了蒂宝和莫玛亚的故事。所以，这一次完全可能，泰山和他身旁的大猿确是在帮助自己。可是，他们怎么能成功呢?双方的力量是这样明显悬殊，布拉班图简直无法猜得出保护自己的白神和跟他站在一起的大猿如何取胜。因此，他才挺身而出，拿起长矛站到泰山的身旁。因为，布拉班图认为如果他逃跑了，泰山将为他而遭到惨重的伤害，他不能做一个忘恩负义、临阵脱逃的胆小鬼。

冈吐等几个大猿慢慢地向前逼近。泰山不由得想起他刚才和大象吞特讲过的话:“我要活着，我讨厌死。”而现在他知道自己处境很危险。冈吐等几个大猿显然越来越激动，它们早就不大喜欢泰山，对他持怀疑态度，尤其是冈吐。今天它们又恰好聚在一起。但是他毕竟从小屋书中的图画里知道他是“Man”，何况和他在一起的还有同格和这个不肯丢下他逃走的孟格村人！

现在，冈吐在准备进攻了。泰山已经看出了这个大猿的行动意图，而且他也明白和冈吐一起的几个大猿也会跟着动手。这时，在冈吐背后的空地边上的绿色灌木丛中，突然出现了大动物走动的影子。泰山看到它的同时也看到冈吐向自己发起了进攻。于是他发出一声怪叫——像一声喇叭的呜哇声，然后弓身迎战。同格也弓起了身子应战。布拉班图完全明白了白神和他身边的大猿无疑是要为他而战了，于是黑人也挺直了他的长矛，准备向白神对面冲过来的大猿刺去。

就在这时，从冈吐背后的灌木丛中冲出来一个庞然大物，也发出一声更大的呜哇声。它的两根大牙直向冈吐背后戳去，大鼻子左右摇摆地横扫过来，大象前来帮助他的朋友了。

冈吐根本还没有靠近泰山，它的獠牙连泰山的皮肤都没碰到。对大象突然袭击的恐慌，使它慌慌张张地跑到最近的树上躲了起来。它的同伙也立刻作鸟兽散，就连同格也来不及分清敌我，跟着尖声吼叫着逃上树去。地面上这时只剩下泰山和布拉班图。布拉班图之所以不走，是他看到白神并没有走，更因为他认为如果白神要为他而对付大象的话，他更没有丢下白神一个人逃走的理由。

但是，接下来的事却让布拉班图大吃一惊。他竟然看到大象来到白神面前，突然停了下来，用它的大鼻子在白神赤裸的背上轻轻擦来擦去，好像很亲热的样子。白神也用手拍拍大象的脑门，然后又用手搔着它那大得出奇的耳朵。

接着泰山转过身来对布拉班图打着手势，指着孟格村方向，脸上带着温和亲切的表情对布拉班图说："快走吧!回去。"泰山用的是猿语，布拉班图自然不懂。他迟疑了一下，泰山似乎看出了这个黑人的想法。他用手拍拍大象，又拍拍自己的胸膛，然后再一次向布拉班图挥挥手指指远方。布拉班图终于明白了泰山的意思，他满怀感激，眼里含着泪花，向泰山屈了一下右腿，扛起长矛毅然转身，向着回家的方向疾速走去。泰山虽然对他的屈膝是什么意思一点不懂，但是因为这个黑人和敢于和自己并肩向冈吐们作战，也第一次感到遇见了一个能与自己彼此理解沟通的真正"同类"。从此，他们双方都从根本上改变了对彼此的态度。这是后话，这里就暂且放开不谈，留待后述。

泰山直到布拉班图走得看不见了，知道冈吐们也不会再去追他了，才对大象说："把我卷到背上去。"大象完全听懂了他的话，伸出它的大鼻子把泰山拦腰一卷，就把他抬起来，轻轻地放到自己的背上去了。

泰山骑到大象的背上，高声地对着树上的大猿喊道："泰山要到他大水边的窝里去了!那里除了泰山的朋友同格和娣卡可以去以外，冈吐和你的那几个比猴子还笨的东西都不许去。从此泰山跟喀却克族不在一起了。"

说完，泰山用他的光脚趾踢了踢大象腹部，吞特转身驮着他穿过空地向大海的方向走去。大猿们躲在树上，一直看着大象一摇一摆地和泰山消失在丛林的深处。

过了几天，同格终于为攻击泰山的事和冈吐争吵起来，接着就发生了一场恶斗，同格把冈吐杀死了。原来惧怕冈吐而跟着它的几个大猿，现在又拥护起同格来。

过了一个多月，喀却克部族里一切如旧，大家相安无事。泰山一直不见影子。大多数大猿都照常过它们的日子，但也有的很怀念泰山，尤其是同格和娣卡，还有它们的小巴鲁。这是泰山也许想象不到的。同格曾经决定去看望泰山，不过不知是些什么乱事使它延搁下来。

一天晚上，同格躺在那里睡不着，仰望着星空，忽然想起了泰山给它讲过的一些稀奇事。那些光点原来是天上丛林里食肉动物的眼睛，它们都在盯着戈罗，准备有机会的时候扑上去把它吃掉。它越想泰山的话就越是睡不着。

不过，今夜的月亮看起来特别红，泛着一种血色。接着一件奇怪的事发生了。同格清楚地看见月亮的一个边缺了一小块它就像被一张嘴咬去了一样。同格不由得大叫一声，站了起来。它的这一声让几乎整个部族的大猿都向它这里聚拢过来。

"看哪!"同格指着月亮大声说道，"就像泰山说的那样，努玛穿过火光扑到戈罗身上咬了它一口，它已经少了一块。努玛会把戈罗整个吃掉的。跟着冈吐把泰山气走的几个家伙，你们知道泰山是多么聪明吗?他早就对我说过这件事。你们那几个跟着冈吐和泰山作对的，能帮助戈罗吗？你们看见戈罗附近那几个亮点吗?它们就是努玛、沙保和别的丛林动物的眼睛。火已经烧得不太旺了，所以照到戈罗脸上的光亮发了红色。就是因为这个缘故，努玛才敢跳过火堆咬哥戈一口。戈罗很危险了，只有泰山能救它。很快努玛就会把戈罗完全吃掉，以后太阳库都入巢之后，我们就只有一片黑暗，再也没法敲登登鼓跳舞了。”

大猿们听了，有好几个都吓得发抖，有的母猿抽泣起来。大猿毕竟是动物，它们每逢遇到自然变故时，总是这样战战兢兢，因为它们对此一无所知。

“去找泰山去。”有一个大猿说。于是大家七嘴八舌地喊起来：“找泰山！”“去找他回来，他有办法!”“他能救哥罗!”“可是谁能在黑夜穿过丛林去找到他?”

“我去!”同格自告奋勇说。然后，它就立刻穿过地狱般幽暗的丛林，到那大海边的小屋去了。

就在大家等待的时候，它们都清楚地看见月亮正在被一点点吃掉。它们觉得也许等不到库都出来，戈罗就会被吃光，接着世界就会是一片黑暗。大猿对于即将到来的永恒的黑夜感到十分害怕。它们没法入睡，只好在树枝间悠来荡去，不断地议论着天上的努玛正在一口口地吞食着天上的戈罗。它们焦急地期待着泰山和同格的到来。

戈罗快要被吃掉一大半的时候，它们忽然听到它们等待的两个同族，正穿过树林向这里悠荡过来的声音。顷刻之间泰山紧跟着同格来到了树上。

泰山来不及再说没用的话，他的手上正拿着一张长弓，而他背上背着一个装满毒箭(它们都是他从孟格村弄来的)的箭袋。他向一棵最大的树的高处爬去。他爬得越来越高，直到他站的地方连树枝都被他压得有些弯了。这里几乎是毫无遮拦的一片天空，他可以清楚地看到月亮被天上的努玛吞食掉一大块，变残缺了。

此时，泰山仰起了脸对着月亮，发出了他的可怕的叫声。说

泰山拈弓搭箭，弓开满月，朝吞食月亮的狮子射去。

来也怪，立刻从远处传来了狮子回应的咆哮。大猿们听了都害怕起来，相信这是天上正在吞食戈罗的狮子的回声。

然后，泰山拈弓搭箭，弓开满月，照着正在吞食月亮的狮子的心脏直射而去。只听得嗖的一声，泰山的第一支箭飞向黑暗的夜空。接着泰山又嗖嗖接连不断地射出了好多支箭。在这期间，喀却克族的大猿都挤在一起，向天上望着，怕得发抖打战，生怕泰山的箭落空，招来天上的狮子转过来向它们进攻。

最后，同格突然喊叫起来："看啊!努玛被泰山射死了，戈罗已经从它的肚里慢慢退出来了!"是的!大家都看见戈罗确实正从原来被吃进去的地方渐渐退了出来。不过，那吃进去的地方究竟是地球的影子，还是天上狮子的肚皮，这些丛林里的大猿是无法弄清楚的。它们似乎更相信后者是真实的。因为除了这样解释，要让它们相信更深的道理，实在是一件非常非常困难的事。

从此泰山又回到了喀却克族的群落里。不过，他的归来并没让大猿觉得他是一个异种的白猿，而是赢得了全体大猿几乎一致的敬畏。他从一个非同寻常的、待在母猿卡拉怀里的小白猿，到今天成为全族大猿尊重的权威，确实走了好长好长的一段路，连他自己也说不清这路究竟有多远多长。

这里还有最后一件怪事要说的是，在全体喀却克族里，只有一个成员不大相信天上的月亮是被狮子吃掉了，而狮子后来又被喀却克族里的那个大白猿射死，从而月亮得救的故事。这个成员就是人猿泰山自己!